「シナリオ教室」シリーズ

シナリオ錬金術 2

「面白い!」を生み出す即効テクニック

浅田直亮❖著

言視舎

目次

0章

ストーリーではなく シーンを考える

はじめに

*この本は、章を追って各項目で述べた創作上の提案を実践してもらえば、面白いシナリオが書けるように構成されています。

*気になる項目やキーワード、お手本の作品がある場合は、そこから読み始めても構いません。流れはありますが、「1話完結」になっています。

*取り上げる35本の「マエストロ映画」は必見の名作です。創作する視点から観直した新しい映画ガイドとしても読めます。いわゆる「ネタバレ」が多いことをご了承ください。

『或る夜の出来事』が教えてくれる
面白いのはストーリーではなくシーン！

面白いシナリオって、何が面白いのでしょう？　ストーリー？　たとえばここで取り上げる**古典的名作映画＝マエストロ映画『或る夜の出来事』**のストーリーは、恋人に会うため家出した大富豪の娘とスクープを狙う新聞記者が出会い、一緒に旅をするうちに恋に落ちて、大富豪の娘は恋人との結婚式から逃げ出し新聞記者のもとへ走るというラブコメディです。

途中までストーリーは同じ

まあ、確かに悪くはありません。でも、すごく面白いかといわれると微妙ですよね。ちなみに、このストーリー、**どこかで観たことがあるような気がしませんか？**　そう、大富豪の娘をヨーロッパの某国の王女さまにすると、**途中までは『ローマの休日』**になります。実は『ローマの休日』は、この『或る夜の出来事』の進化系というわけです。

『或る夜の出来事』は、その年のアカデミー賞主要5部門（作品賞、監督賞、主演男優賞、主演女優賞、脚本賞）を独占しました。マエストロ映画の中でも飛びきりのマエストロ映画といえるでしょう。

どうやら面白いシナリオは、ストーリーが面白いわけではないようです。もちろんストーリーそのものが面白い映画やドラマもあるにはあるでしょうが、きわめて稀です。実際、面白いストーリーを考えようとしても、なかなか思い浮かびませんし、たまたま思いつくことがあったとしても宝くじに当たるより低い確率かもしれません。自分だけ面白いと思っているのはダメですよ。人も面白いと思ってくれないと。

ストーリーじゃないとすると何が面白いのでしょう？

シーンに注目してみる

たとえば**『或る夜の出来事』**には、こんなシーンがあります。バスに乗り合わせた女性が行方不明で大騒ぎになっている大富豪の娘だと気づいた**新聞記者は編集長に電報を打ちます**。

「笑いが止まらず。今年最大のスクープを入手。アンドリュース嬢を発見。記事がほしいだろ、ヘボ編集長。自分で探しな。この記事は書かないぜ。ざまーみろ」

何て個性あふれる電報でしょう。

大富豪の娘と新聞記者がヒッチハイクするシーンもありました。新聞記者は「ヒッチハイクの心得っていう本を書くつもりだ」と能書きを語りながら、いろんなパターンの車の止め方をやってみせます。そこへ次々と車が通りかかり、新聞記者は止め方のパターンを片っ端から試しますが1台も止まってくれません。今度は私の番だと大富豪の娘が道路へ。新聞記者は「君が？　笑わせるな」と。しかし、大富豪の娘がスカートを上げて太ももまで足を見せると、すぐに車が止まってくれるのです。新聞記者がムスッとして「君が裸になれば、どんな車でも止まる」と言えば、大富豪の娘は「必要なら脱ぐわ」と返します。

ラストの前、**新聞記者が大富豪の父親から金を受け取るシーン**も個性があります。新聞記者から「お嬢さんについて金銭上の話し合いがしたい」という手紙を受け取っていた大富豪の父親は、新聞記者を自宅に呼びます。新聞記者は、出費費用の明細を渡します。合計金額は39ドル60セント。大富豪の父親は「この金額を1万ドルに上乗せしろと？」と尋ねます。「1万ドル？」新聞記者は怪訝に訊き返します。娘を見つけた懸賞金だと大富豪の父親が言うと、懸賞金なんかいらないと新聞記者は答え、ほしいのは39ドル60セントだけだと頑なに言い張るのです。

そうなのです。面白いのはストーリーではなくてシーンです。

モーテルの部屋に二人で泊まることになった時、新聞記者は部屋の真ん中に洗濯ロープを張り毛布をかけて壁を作って「ジェリコの壁」と呼びます。その毛布が微かに揺れて向こうで大富豪の娘が着替えている気配が伝わってくるシーンも、野宿して藁の上で眠った翌朝に大富豪の娘の歯にはさまった藁を新聞記者がペンナイフで取ってやるシーンも、どんなにお腹がすいても食べなかった生のニンジンを大富豪の娘が一口齧るシーンも目が離せません。**「ジェリコの壁」の毛布を使ったラストシーン**も洒落ています。

「20枚」のシーンが決め手になる

特に参考にしてほしいのが、**映画の冒頭から大富豪の娘と新聞記者が出会うところ**です。

まず大富豪の父親の船で、娘がハンストしていると知った父親が「口に突っこんでやれ!」と言います。

娘の船室に父親が入ってきて、豪華な食事を運びこませます。娘に無理矢理食べさせるのかと見ていると、そうではありません。父親は娘の目の前で美味しそうに食事を始めるのです。二人の会話で、娘が進めようとしている結婚に父親が反対し船に閉じ込めているらしいと分かります。父親は極上のステーキを一切れフォークに刺して、匂いだけでも嗅いでみろと娘の目の前に差し出します。娘はフォークを払い飛ばすと、食事の載ったトレーを〝星一徹〟のように引っくり返します。

そして、娘は船から海へ飛び込み、泳いで逃げていきます。

バスターミナルで、大富豪の父親の雇った追っ手がチケット売り場を張り込みしています。大富豪の娘は、初老の女性にチケットを買ってきてもらってバスへ向かいます。

そのバスターミナルの公衆電話に新聞記者がいます。電話で編集長と何やらケンカしているのです。編集長は「クビだ!」と電話を切ってしまいますが、新聞記者は周りで応援している仲間たちの手前、まだ電話が続いているように演じて「機嫌を取る気か? 謝っても手遅れだ。泣いて頼んでも書いてやるもんか」と啖呵を切るふりをして受話器を置きます。仲間たちに「よくやった」「さすがだ」とチヤホヤされながらバスに乗り込みます。

新聞記者が座席においてあった新聞の束を窓から放り投げたことで運転手と口論になります。その隙に大富豪の娘が席に座ってしまいます。新聞記者が「そこは俺の席だ」と言うと、大富豪の娘は運転手に「このバスは指定席？」と尋ねます。運転手が早い者勝ちだと答えると新聞記者は「二人掛けだな？」と確認し「つめてくれ」と強引に隣同士に座るのが二人の出会いです。

さらにバスの休憩時間に大富豪の娘はバッグを置き

バスのシーン　1934 年：ウィキメディア・コモンズ

引きされてしまいます。たまたま目撃していた新聞記者が犯人を追いますが見失ってしまいます。戻ってきた新聞記者が運転手に報告しようと言うと、身元を明かしたくない大富豪の娘は「私に構わないで放っといてちょうだい」と立ち去ります。新聞記者は「恩知らず」と呟きます。

ここで、**およそ10分、ペラ（200字詰め原稿用紙）20枚くらい**です。

ぜひ、**こんな「20枚」シナリオを書いてください。そのコツをこれから「マエストロ映画」をお手本にして解説していきます。**

シーンを面白くするには？

シーンを面白くするポイントは、**キャラクターならではの行動やリアクションやセリフ**です。大富豪の娘が、フォークを払い飛ばしトレーを引っくり返すところ、海へ飛び込んで泳いで逃げるところ、新聞記者に席をどけと言われたときに「指定席？」と言い返すところ。新聞記者が、電話を切られているのに話が続いているふりをするところ、バスから新聞の束を放り投げ運転手と口論になるところ、運転手に席は早い者勝ちだと言われ大富豪の娘に二人がけだからつめろと言うところ、置き引きの犯人を追いかけてやるところ。キャラクターならではの行動やリアクションやセリフが生き生きと描かれています。

キャラクターならではの行動やリアクションやセリフを描く**コツは二つ**あります。一つはキャラクターをはっきりイメージすること。そのためには、あれこれ考えず、**個性（性格）を一言で**考えてみてください。

もう一つは、**最初にストーリーを考えないこと**。最初にストーリーを考えるとキャラクターをストーリーに合わせようとしてキャラクターがバラバラになりがちです。でなければ、どんなストーリーにも合わせやすいよう無色透明なキャラクターになってしまうか。どちらにしてもキャラクターならではの行動やリアクションやセリフは生まれません。

まずキャラクターの個性を一言で考えて、こんな時どんなことするかな、こんな時どんなこと言うかなと、いろいろ思い浮かべて動かしてみてください。

マエストロ映画『或る夜の出来事』の極意、面白いのはストーリーではなくシーンであることを決して忘れなく。

◆**『或る夜の出来事』**1934年アメリカ映画　監督：フランク・キャプラ　脚本：ロバート・リスキン　原作：サミュエル・ホプキンス　出演者：クラーク・ゲーブル　クローデット・コルベール　上映時間：105分

『西部戦線異状なし』が教えてくれる

「20枚シナリオ」こそが面白い長編を生み出す！

さっきもあげた（9頁）「20枚シナリオ」を書いていて、1時間や2時間のシナリオを書けるようになりますか？　こういう質問をされることが度々あります。

断言します。**「20枚シナリオ」を書いていれば1時間や2時間のシナリオを書けるようになります**。それどころか1時間連続ドラマも半年間の朝ドラ、1年間の大河ドラマも書けるようになります。

それでも「20枚シナリオ」を書いていて1時間や2時間が書けるようになるのか不安になるのはなぜでしょう？

まず**全体を組み立てなければならないという先入観**があるからではないでしょうか？　1時間や2時間の全体を組み立てる力は、短い「20枚シナリオ」を書いていても身につかないのではと疑問に感じてしまうわけです。

まず、あらすじを作り、そこから全体の構成を組み立てていくのがオーソドックスな作り方だと思っている人が多いかもしれません。

しかし、全体を考えるということは、まずストーリーを考えるということです。ストーリーを最初に考えると、上手くまとまっていて破綻のないシナリオになるかもしれませんが、なかなか面白くなりません。そこには面白くなるかもしれませんが、そこそこにしかならないので注意してください。

まず主人公のキャラクターを明確にする

あらすじを作るときに、ああなって、こうなってとストーリーを考えるのではなく、**まず主人公のキャラクターを明確にして、その主人公を困らせることでキャラクターならではの行動を引き出してみてください。思ってもみなかった展開が生まれるはず**です。

さらに、構成を組み立てる時に、あらすじの通りに流れを追わないことです。主人公や周りの登場人物を、**生き生き動かして具体的なシーンをイメージすること**で、あらすじを変えていってみてください。

さらにさらに、シナリオを書くときも構成の通りに書かないことです。主人公や周りの登場人物のキャラクターならではの行動やリアクション、セリフを考えていくことで構成を変えていってください。作者自身、先が見えなくなり、一体どうなるんだろうとドキドキしてシナリオを書けたら最高です。観客や視聴者は、もっともっと、この先どうなるんだろうと引きこまれること間違いなしです。

つまり、全体から考えても面白いシナリオにするためには、**どれだけ一度考えたあらすじや構成を変えていけるか**、にかかってきます。これが難しいんですよね。

その原動力となるのが登場人物のキャラクターならではの生き生きした行動やリアクション、セリフです。それはまさに「**20枚シナリオ**」**で面白いシーンを作る力そのもの**なのです。

また、実際の映画やドラマが、全体のストーリーを語るというよりは一つ一つのエピソードやシーンを積み重ねていることが分かれば、変える勇気を持てると思います。

『西部戦線異状なし』のエピソード

ここで取り上げるマエストロ映画は『**西部戦線異状なし**』です。

第一次世界大戦中のドイツ、19歳の学生である主人公は軍隊に志願しますが、戦争の現実に直面し……という戦争映画です。

当時の戦闘は、もちろん現代のようにハイテク化されておらず、たとえば敵兵が塹壕に走りこんできて、どっちがどっちか分からないほど揉みくちゃになって殴り合ったり、刺し殺したりするようなもので、生々しく凄惨な戦いが繰り広げられたりします。戦闘方法に限らず、当時と現代では違うところも数多くあるでしょう。しかし、今も変わらない戦争の本質を感じさせてくれる映画であることは間違いないと思います。

まず学校の教室で教授の演説を聞いて愛国心を奮い立たせた主人公はじめ学生たちが意気揚々と入隊を志願するエピソードから描かれます。しかし、いつもニコニコと気のいい郵便屋だったはずの男が威圧的な上官に変貌していることで主人公たちの浮かれた気持ちは一気に沈みます。泥の中に伏せを繰り返す訓練、査閲、主人公たちは夜中に出発し翌朝には前線に送られます。

本物の爆撃の音にびびりまくりながら中隊に合流、主人公たちも中隊の古参兵も丸一日、何も食べていないエピソードがあり、そこに豚を一頭調達してくるカットという古参兵との出会いがあります。

次は夜間の鉄条網張り仕事のエピソードです。さらに近くなった爆撃にちびったりしながら作業を進めます。ここで主人公の同級生が一人、初めての戦死者となります。

そして、塹壕のエピソードが描かれます。ひっきりなしの爆撃の音と振動で精神的に参っている主人公たち。ついに一人がパニックになって走り出し塹壕を飛び出そうとしたところを撃たれ負傷します。

わずかな食料を分け合うシーン、ねずみ退治のシーンがあり、ついに戦闘のシーンになります。爆撃が近づき緊張感が高まり、押し寄せる敵軍との銃撃戦になり、さらに狭い塹壕に敵兵がなだれ込んできて殴ったり刺したり、もみくちゃです。

ここまでは志願した主人公たちが前線へ前線へと移動し、戦争の現実を目の当たりにしていくエピソードが積み重ねられています。

人間ドラマはストーリーではなくシーンで作られる

この後は戦闘シーンも描かれますが、むしろ戦場での人間ドラマが積み重ねられます。

たとえば主人公たちが塹壕で負傷した仲間を見舞うエピソード。手当所には多くの負傷兵がベッドに寝かされています。負傷した仲間は「足が痛む」と言いますが実は足を切断されています。ベッドの下にブーツがあり、仲間の一人が譲ってくれと言い出し主人公が遮ります。医者を呼びにいっても、もう手の施しようがないんだと相手にされません。仲間の具合がどんどん悪くなり、主人公は再び医者のところへ行きますが、次の手術があって時間がないと言われてしまいます。主人公は立ち尽くすしかありません。

そして、亡くなった仲間のブーツを受け継いだ仲間が戦死し、また受け継いだ仲間が戦死していくシーンが描かれます。

このエピソードは時間にしてほぼ10分、「**20枚シナリオ**」です。

戦闘中に主人公が身を隠した地面の穴に同じように敵兵が飛び込んでくるエピソードもあります。主人公は思わず敵兵を刺します。激しい銃撃戦の真っ只中で穴から出られず夜を過ごし夜明けを迎えます。うめき声を上げ続ける敵兵に「なぜ死ぬのに時間がかかるんだ！　どうせ死ぬんだ！」と叫んだかと思うと「いや死なないよ。ちょっとした負傷さ。家に帰れる。大丈夫だ」と励まします。水をやろうとすると死んでいます。ポケットを探ると敵兵の妻と娘の写真が出てきて、主人公は「許してくれ、許してくれ、許してくれ」と繰り返します。穴を出て部隊に戻ると古参兵のカットに「人を殺した」と打ち明けます。カットは「戦争は戦争だ」と……。

1930年：ウィキメディア・コモンズ

このエピソードも、およそ10分ぐらい、「**20枚シナリオ**」です。

カトリック病院のエピソードも10分です。爆撃で負傷した主人公が今まで戻ってきた奴はいないという死の部屋に連れて行かれることになり「嫌だ！　嫌だ！」と絶望的に抵抗しますが、回復して病室に戻ってきたときに生きている喜びを爆発させるドラマに、隣のベッドの仲間が足を切断され「自殺する！」と叫ぶシーンなどがからめられています。

これらのエピソードは互いに関連はありません。一つの流れがあるわけでもありません。一つ一つ別々の戦争の現実を描くエピソードが重ねられているだけです。

「面白い20枚」が積み重なってこそ

一時帰国した主人公は、父親やその仲間がパリへ進攻だと気炎を上げているのに違和感を抱きます。母校を訪れると、教授は相変わらず愛国心を説き主人公より年下の若者たちを扇動しています。「ほとんど塹壕で過ごし、殺されないように戦闘し、だが時には殺される。それだけだ」と語る主人公に、若者たちは「臆病者！」と声を上げます。「戦争とは老人が始めて若者が死んでいく」という言葉が思い出され、何とも虚しいエピソードです。
このように**引きつけられるのは、ああなって、こうなってというストーリーでもなく全体の組み立てでもありません。一つ一つのエピソード、一つ一つのシーンであること**を実感できるでしょう。面白いシナリオは、あらすじや全体の構成から生まれるわけではないのです。**面白い「20枚シナリオ」の積み重ね**こそが生み出すのです。

◆『西部戦線異状なし』１９３０年アメリカ映画　監督：ルイス・マイルストン　脚本：マクスウェル・アンダーソン　デル・アンドリュース　ジョージ・アボット　原作：エーリヒ・マリア・レマルク　出演者：リュー・エアーズ　ルイス・ウォルハイム　上映時間：１３６分

錬金術の極意１

第1章

シーンを面白くするのはキャラクター

『風と共に去りぬ』が教えてくれる

キャラクターが面白いストーリーを生む！

面白いストーリーを生み出すコツがあります。それはストーリーを考えないことです。

ああなって、こうなってとストーリーを考えると、どうしても、ありがちなパターンになってしまいます。これではダメだと練り直してみると、そこそこになります。でも、そこそこにしかなりません。もっと面白くなるんじゃないかと、あれこれ頑張っても、ちょっとはマシになることもありますが、そこそこを脱し切れません。さらに考えても、そこそこ。下手をすると考えれば考えるほど面白くなくなることも少なくありません。どうしていいか分からなくなって嫌になりかけている人もいらっしゃるんじゃないでしょうか？

ストーリーを考えて面白くするのは、まったくできないわけじゃありませんが、至難の業です。

じゃあストーリーじゃなく何を考えるのか？　キャラクターです。

そもそもキャラクターって何のために考えるのでしょう？

キャラクターを考える目的は、第一に**魅力づけ**です。こんな登場人物、特に、こんな主人公なら観てみたい！と観客や視聴者を引きつけるのです。第二に**今まで観たことがないシーンを描くため**です。多くの人がやりそうなリアクションや多くの人が言いそうなセリフではなく、登場人物のキャラクターならではの個性あふれるリアクションやセリフで観客や視聴者をグイグイ引きこむのです。

そして第三の目的が、**ありがちなパターンでないストーリー展開を生み出すため**です。こんなキャラクターだったら、こんな時どうリアクションし行動するのかな？とか、このキャラクターとこのキャラクターがぶつかったらどうなるのかな？などと考えることで登場人物、特に主人公を生き生きと動かしていくのです。作者が主人公を無理やり動かすのではなく**主人公が自分で動いていくイメージ**です。その主人公を追いかけて描いていけば思ってもみないストーリー展開が生まれます。

つまり作者がストーリーを考えるのではなく、主人公や登場人物が作者を引っ張っていってくれて結果として面白いストーリーが出来上がるというわけです。ストーリーを考えておかないほうが主人公や登場人物が生き生き動きやすくなるのです。ストーリーという邪魔ものを取っ払って、主人公や登場人物を生き生きと動かしてみてください。

『風と共に去りぬ』スカーレットというキャラクター

このマエストロ映画**『風と共に去りぬ』**は3時間30分を越える超大作です。

舞台はアメリカ南部。南北戦争によって大きく変化していく時代を主人公・スカーレット・オハラ（ヴィヴィアン・リー）が生き抜いていく姿を描いています。

スカーレットの最初のエピソードは、想いを寄せる名家出身の紳士アシュレーが別の女性と結婚することから始まります。園遊会で、すべての青年からチヤホヤされているのに肝心のアシュレーは婚約者のメラニーと仲良くしています。スカーレットはアシュレーに愛していると告白します。しかし、アシュレーに「メラニーと結婚する」と言われてしまいます。すると「私が怖いんでしょ、意気地なし！　あの魅力のない女が似合いだわ。子育てしか能のない平凡な女がね！」と感情的になり平手打ちをしてしまいます。アシュレーが去ると花瓶を壁に投げつけ割ってしまいます。と、たまたま居合わせ隠れていたレット・バトラー（クラーク・ゲーブル）が姿を現します。レットの皮肉な物言いに苛立ってスカーレットは部屋を出て行きます。

スカーレットの自分の気持ちのままストレートに行動するキャラクターが描かれています。

この直後、南北戦争突入のニュースが園遊会に知らされ青年たちが湧き立つ中、メラニーの兄に結婚を申し込まれたスカーレットは、アシュレーとメラニーがキスしているのを見ながら腹立ちまぎれにプロポーズを受けます。

スカーレットは、この後もずっとアシュレーを愛し続けます。が、3回も結婚します。**3回ともアシュレーではない男性なのがユニーク**です。

最初の夫が結婚してすぐに南北戦争で戦死、未亡人として大人しくしているのが嫌でスカーレットは故郷のタラからアトランタへ行きます。しかし、北軍が攻めこんできてメラニーと生まれたばかりの子どもを守りながら、やっとの思いでタラに戻ります。

農園で作物を育て南北戦争も終わり捕虜になっていたアシュレーも帰ってきますが、土地に高額な税金をかけられ、父親が落馬して亡くなります。

自分の気持ちに正直なキャラクター

ここで注目したい「**マエストロ映画の20枚**」は、この後です。

税金を払う目処が立たないスカーレットは、ふとレットに頼ろうと思い立ちます。でも鏡に映る自分は痩せて青白く、着ていくドレスもありません。その時、カーテンに目を留めます。オハラ家にずっと仕えている黒人女性に「ドレスの型紙を持ってきて！」と叫ぶと、カーテンを引きちぎります。

そして、アトランタの監獄に囚われているレットに妹だと名乗って会いに行きます。最初はレットのことを心配して訪ねてきたと話していたのですが、農作業で荒れた手を見られたことから金目当てであることがバレます。税金を出してくれと懇願しますが「金はリバプールだ。北軍に知られたら没収される」「恥をさらしに来ただけだな」と言われレットを叩いたり噛みついたりして暴れた挙句「縛り首を見て目の前で万歳してやるわ！」と捨てゼリフを残して立ち去ります。

あてもなく歩いていると「スカーレットさん」と声をかけてくる男性がいます。妹の恋人です。雑貨店を営んでいてスカーレットの妹と結婚し家を建てて暮らすために金を貯めていると言います。スカーレットは妹が近く別の人と結婚すると嘘をつき「寒いわ。ポケットに手を入れさせて」と誘惑します。

スカーレットは妹の恋人と2度目の結婚をし税金を払うことに成功します。

ここで、およそ10分です。とにかく思い立ったら、すぐ行動です。猪突猛進というわけではありません。たとえば南北戦争の最中で従軍看護師をしていた時は、あまりに悲惨な状況に病院から逃げ出します。税金を払う手段がなくアシュレーに相談した時も二人で逃げてメキシコで暮らそうと言い出します。自分の気持ちに正直なのです。

ストーリーを動かしているのは

この結婚でストーリーは大きく展開します。

スカーレットは2番目の夫が副業としていた材木商を切り盛りし始めるのです。囚人を働かせ、北部の人間相手に商売し、自分で馬車を走らせて、周りからは非難されますが、もちろん眼中にありません。事業は大成功します。これは公開当時としては、きわめて斬新な展開だったのではないでしょうか。

順風満帆と思われましたが、スカーレットのトラブルが原因で2番目の夫が撃ち殺されてしまいます。自分のせいで殺したようなものだと後悔し酒を飲んで泣いていると、いきなりレットが訪ねてきてプロポーズされます。最初は拒絶していましたが強引にキスされたことから何とプロポーズを受け入れるのです。ここはスカーレットのキャラクターもありますが、レットの**キャラクターとの化学反応**によって思わぬ展開が生み出されています。

しかし、3度目の結婚もスカーレットがアシュレーを愛し続けていることをレットに知られたあたりから決定的にすれ違い始めて、別れのクライマックスへと向かっていきます。

この3時間30分を超える波瀾万丈なストーリーが、スカーレットを描くことで生まれていることは、スカーレットが描かれていないシーンを探すのが難しいことでも分かります。と同時に、レットやアシュレー、

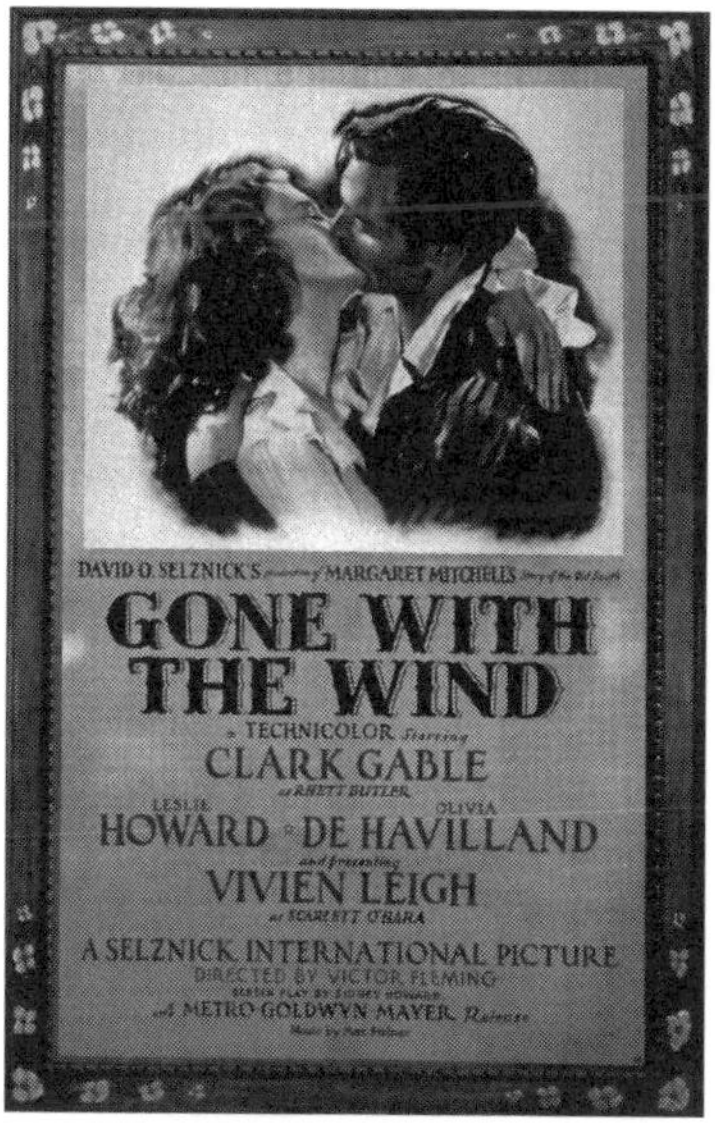

1939年初公開時のポスター
出典：ウィキメディア・コモンズ

メラニーといったメインの登場人物はもちろん、スカーレットの両親、オハラ家にずっと仕える黒人女性や若い黒人女中、娼館の女主人などなど脇役のキャラクターまで、それぞれ個性豊かに描かれていることにも注目してください。
◆『風と共に去りぬ』１９３９年アメリカ映画（日本公開１９５２年）　監督：ヴィクター・フレミング　脚本：シドニー・ハワード　原作：マーガレット・ミッチェル　出演者：ヴィヴィアン・リー　クラーク・ゲーブル　上映時間：２２２分

『ゲームの規則』が教えてくれる 性格こそがキャラクターだ！

「**しっかりキャラクターを考えているのに、面白いシーンが書けないんです**」と、すがるような目を向けられたことがあります。

しっかりキャラクターを考えているのに？　そ、そんな馬鹿な……。

で、いろいろ話をして原因が分かりました。キャラクターを考えるときに過去にどんなことがあったかを考えてしまっていたのです。たとえば、かつて好きな女の子にこっぴどくフラれたので女性と口がきけなくなっている、みたいに。まあ、過去にどんなことがあったかを考えてもいいのですが、かつて好きな女の子にこっぴどくフラれたら、みんながみんな、女性と話せなくなるわけではありません。全然気にしないで女性にフラれるのを繰り返す懲りない男性もいます。あるいは逆に、復讐するように女性を引っかけまくっては捨てまくる屈折した男性もいるかもしれません。もちろん、口がきけなくなる気が弱い男性もいるでしょう。

あるいは、状況や境遇を考えてしまっていたのです。

たとえば、上司と不倫をしているOL、みたいに。上司と不倫をしているOLでも、じっと不倫相手の妻や子どもの様子を隠れて見ているような暗い女性もいれば、あっけらかんと他にも何人かの男性と付き合っている奔放な女性もいれば、不倫のほうが下手に結婚を求められたり一緒に生活する煩わしさもなくていいわと割り切っているクールな女性もいるでしょう。

それぞれの違いこそがキャラクターの違いです。**これって何が違うのか？　性格です。**

そうなのです。キャラクターを考えていたのに面白いシーンを書けなかった原因は、性格を考えていなかったからです。過去にどういうことがあったかや状況や境遇も、職業設定や趣味や家族構成などなども**キャラクター**設定には違いないのですが、**キャラクターを考える上で一番重要で決して外せないのが性格**なのです。

『ゲームの規則』のキャラクター設定

マエストロ映画『**ゲームの規則**』の冒頭に、こんなシーンがあります。

飛行場に、たくさんの人が集まっています。ラジオの実況中継も行なわれています。新記録で大西洋横断飛行を達成した飛行士アンドレ・ジュリユー（ローラン・トゥータン）を待ち構えているのです。飛行機が着陸すると群衆が滑走路に雪崩れこみます。飛行機から降りてきたアンドレは熱狂的に迎えられますが、それに応えることもなく友人オクターヴ（ジャン・ルノワール）を見つけると駆け寄って「彼女は？」と尋ねます。「来てないのか？」「あの人のためだけに飛んだのに……」。そして、「喜びの声を」とマイクを向けられたラジオのインタビューに「喜んでいないし、不幸のどん底にいる。ある女性のためだけに飛んだのに、その女性はここに来ようともしない」と言ってしまいます。

アンドレは自分の気持ちに正直で一途なのです。自分が国家的英雄として何を求められているかなど眼中になく、ひたすら思いを寄せるラ・シュネイ侯爵夫人クリスティーヌ（N・グレゴール）のことしか頭にないのです。

さらにクリスティーヌと会えなくなったアンドレは、

車を運転しながらボーっとしていて道路脇の植え込みに突っこんでしまいます。

一方、アンドレが事故を起こした車の助手席に乗っていたオクターヴは、初めは勝手に一人で悩んでいろと怒りますが、アンドレに頼まれ「会えるさ」「任せろ」とクリスティーヌとの間を取り持つことを引き受けてしまいます。クリスティーヌの亡くなった父親は偉大な指揮者で、その弟子だったオクターヴはクリスティーヌの唯一ともいえる相談相手なのです。

オクターヴはクリスティーヌを訪ね、ラ・シュネイ侯爵家の領地コリニエールで催される狩りの集いにアンドレを招待するよう頼みます。クリスティーヌを何とか説得し、今度はロベール・ラ・シュネイ（マルセル・ダリオ）にアンドレを招待するよう頼みます。最初は「私はバカではない」と断られますが、あの手この手で結局、アンドレをコリニエールに招待させることに成功します。

オクターヴは図抜けたお人好しなのです。自分のことはそっちのけでアンドレやクリスティーヌのことで一生懸命になれるのです。

その性格だからこそ、そのセリフや行動

性格が大切なのは、そのキャラクターならではのセリフやリアクションや行動が生まれるからです。誰も言わないかもしれないけどアンドレやオクターヴそれぞれの性格だからこそそのセリフや、誰もやらないかもしれないけどアンドレやオクターヴ**それぞれの性格だからこそそのリアクションや行動で、ありきたりでない個性あふれるシーンを描くことができる**のです。

このあと『ゲームの規則』は、コリニエールでの狩りや乱痴気騒ぎのパーティーの様子が描かれながら、アンドレとクリスティーヌとロベールの三角関係だけでなく、クリスティーヌとロベールとロベールの愛人の三角関係や、クリスティーヌの小間使いと夫である森番と元密漁者の三角関係のドタバタが繰り広げられていきます。いわばラブコメ群像劇といった感じでしょうか。

ところが、クライマックスに向けて予想もしなかったシリアスな展開に一変します。この展開を生み出したのも登場人物のキャラクター、特に性格なのです。

ネタバレになってしまいますが、このクライマックスへの約10分が「**マエストロ映画の20枚**」です。

パーティーが終わり、オクターヴとクリスティーヌが夜の散歩に出かけます。「寒くないか?」とオクターヴはクリスティーヌが着ていたコートのフードを頭からかぶせます。

その二人の姿を森番と元密猟者が目撃します。森番はクリスティーヌを自分の妻だと勘違いします。クリスティーヌが着ていたコートは森番が妻にプレゼントしたものだったのです。森番と元密猟者はオクターヴとクリスティーヌを尾行します。

「寒いわ」とクリスティーヌが立ち止まります。「じゃあ戻ろう」と言うオクターヴに「館には二度と戻らないわ」と答えます。「じゃあ、ここに入ろう」と二人は温室に入っていきます。森番と元密猟者も来て温室の中の様子をうかがいます。

温室の中で話すうちクリスティーヌは「気づいたわ。あなたを愛してる」と言い出します。そして、二人はキスをします。外で見ていた森番が「ふたりとも殺す」と元密猟者を見張りに残し銃を取りにいきます。

オクターヴとクリスティーヌは、このまま逃げ出そうと、オクターヴがクリスティーヌのコートを館に取りに戻ります。そんなオクターヴを小間使いが「それだけはダメよ」とたしなめます。「あなたは貧乏よ。奥様にはお金がかかるわ」「奥様は幸せになれない」と。そこにアンドレが現れ「クリスティーヌは?」と尋ねられると、オクターヴは「君を待ってる」と言ってしまいます。「温室で君を待ってるぞ」クリスティーヌのコートを「持っていってやれ」と渡し、駆け出そうとするアンドレに「風邪を引くな」と自分のコートを着せてやります。大喜びで一目散に走っていくアンドレを見送ります。

温室の表に森番が銃を持って戻ってきます。そこへオクターヴのコートを着たアンドレが真っ直ぐに走ってきます。森番が撃ち、アンドレは「クリスティーヌ!」と倒れます。温室から飛び出してきたクリスティーヌが即死したアンドレの姿に気を失います。森番と元密猟者は自分たちの勘違いに気づきます。

この引きこまれずにはいられない思いもよらぬ展開

は、オクターヴ、クリスティーヌ、アンドレ、小間使い、森番**それぞれの性格だからこそのリアクションや行動によって生み出された**ものです。

◆『**ゲームの規則**』1939年フランス映画（日本公開1982年）監督：ジャン・ルノワール　脚本：ジャン・ルノワール　カール・コッホ　出演者：マルセル・ダリオ　ノラ・グレゴール　ローラン・トゥータン　ジャン・ルノワール　上映時間：106分

『ニノチカ』が教えてくれる「〜すぎる」性格が個性あるシーンを作る！

シナリオを一度書き上げた後、ちょこちょこ、ちょこちょこ、セリフやト書を書き直していませんか？でも、それで面白くなっていますか？　少しは面白くなったりすることもあるでしょうが、ほんの少しです。

セリフやト書だけ見て、ちょこちょこ書き直しても見違えるようにはなりません。

そんなこと言ったって見違えるようになんて、なるのかよ？

実はね、なるんです。

まずは主人公

鍵はキャラクターです。書き上げたシナリオを読み直していきなりセリフやト書を直す前に、登場人物のキャラクターをイメージしてみてください。まずは主人公です。
コツは、あれこれ考えないこと。性格だけを一言で明確にしてください。真面目なら真面目だけ。頑固、神経質、のんびり屋さん、無口など一言でイメージしてください。

もし、いくつかの性格が浮んでしまったら一つに絞りこみます。どの性格が一番強いのかでもいいし、どの性格ならイメージしやすいかでも構いません。

性格が一言で考えられたら、それに**「~すぎる」とつけてみてください**。真面目すぎる性格とか、頑固すぎる性格みたいな感じです。よりキャラクターがはっきりくっきり際立ってきたと思います。

ここで初めて書き上げたシナリオを読み返します。この~すぎる性格なら、どんなセリフになるかな、どんなリアクションをするかな、とイメージして書き直していくのです。できれば、誰も言わないけど、この**~すぎる性格なら言いそうなセリフ**にならないか、誰もやらないけど、この**~すぎる性格ならやりそうなリアクション**にならないか、考えてください。

自分でも驚くほどシナリオが生き生きと変わっていくのを実感できるはずです。

一途すぎるニノチカの性格

ここで取り上げるマエストロ映画は『**ニノチカ**』です。

主人公のニノチカ（グレタ・ガルボ）はゴリゴリのソ連共産党員ですが、革命により伯爵夫人から没収した宝石を現金化するという任務でパリにやって来て、出会ったのが口から先に生まれてきたようなプレイボーイの伯爵レオンです。

そんな生い立ちも境遇も信条も何もかも違う2人が恋に落ちるラブコメディーです。

すでにパリに来て宝石を現金化しようとしていた党員3人組に出迎えられたニノチカは、ニコリともせず挨拶を交わし握手します。

3人組がポーターを呼び荷物を運ばせようとすると「何の用?」「荷物を」「なぜ?」「運ぶのが仕事です」「なぜ人の荷物を」「それが仕事なので」「それは不平等よ」と荷物を渡しません。3人組の1人が「では私が」と荷物を持とうとしても「結構よ」と自分で持って歩き出します。

ショーウインドウに個性的なデザインの帽子が飾られているのを見つけます。「あれは何?」「女性用の帽子です」「あんな帽子を女にかぶせる文明は滅びるわ。時間の問題ね」と言い放ちます。

ホテルの部屋に到着してコートを脱ぎ帽子を取ると

何よりもまずデスクにレーニンの写真を飾ります。

とにかく共産主義まっしぐら、脇目も振らずストイックに一直線です。性格でいうと一途なのです。**一途すぎる性格**なのです。

ニノチカとレオンは偶然、大通りの中央分離帯で赤信号になり、居合わせたことから言葉を交わします。ニノチカは公共施設を調査するためエッフェル塔に向かいます。

エッフェル塔に着くとタクシーで先回りしたレオンが現れガイドブックを見ながら「面積は141平方ヤード」と説明してくれます。「お力になりたいと」と言うレオンに「続けて」とニノチカは顔色一つ変えません。レオンの説明を聞きながら階段を昇り始めます。レオンに「最初の踊り場まで階段の段数は829段。最上部までさらに254段。エレベーターは無料だ。階段だと何時間もかかる」と言われても、どんどん昇っていきます。

レオンがエレベーターで上がっていくと、すでにニノチカは展望台で夜のパリを眺めています。「美しさは認めるけど電気の無駄な消費ね」と。

レオンから家に来てくれたら嬉しいと誘われ「では行きましょう。あなたは、いい研究材料に」と答えます。

こうなると、もう主人公が次に何をやってくれるのか、どんなことを言ってくれるのか、ワクワクしてしまいます。

誰も言いそうにないけど、このキャラクターなら言いそうなセリフ

このマエストロ映画の「20枚」は、このあとニノチカがレオンの家を訪ねるシーンです。

まず執事に出迎えられると「こんばんは、同志」と固く握手します。唖然とする執事に「自由の日は来るわ。お休み、お父さん、二人にさせて」と言って部屋に入っていきます。

コートと帽子を脱がせながら「飲み物は?」とレオンが尋ねます。「いえ、結構よ」「食事は?」「1日のカロリーは摂ったわ」と答えます。

とにかく二人のセリフのやりとりは個性にあふれてます。たとえば、ニノチカが「職業は?」と質問すると「健康と頭脳を維持して家主をなだめるのが仕事」「人民のためには何を?」「人民? 特に何もしていな

い。女性になら尽くしてるが」「ロシアにはいないタイプね」「どうも」「だからロシアの将来は安泰ね」といった感じです。

いよいよレオンが「ニノチカ、私を好きだね」と口説きにかかります。「容姿には嫌な気はしないわ。白目はきれいだし角膜も正常」「君の角膜もすてきだ」

ニノチカが第三騎兵隊の軍曹だったときに負傷した傷跡を見せます。「敵はポーランド兵。私は16だった」「可哀想に」「同情ならポーランド兵に。私は生き残ってる」

時計が12時を知らせると「真夜中だよ。2つの針が重なりキスをする。すてきだろ?」と言い、次々と口説き文句を並べるレオンに、ニノチカは「おしゃべりね」と。

ここでレオンがキスしてきます。唇が離れるとニノチカが「安らぐわ。もう一度」と言いレオンが再びキス。また唇を離すと「ありがとう」と言って今度はニノチカからキスします。

すると電話がかかってきます。党員三人組の一人からです。この電話で二人は初めてニノチカが伯爵夫人の宝石を現金化する任務で来た全権使節であり、レオンが宝石を取り戻そうとする伯爵夫人の代理人で互いに対立する立場であることを知ります。

ニノチカは帰ろうとし、レオンは何とか引き止めようとします。しかし「さっきまで私の腕に抱かれキスも」と言うレオンを「ポーランド兵にも死ぬ直前にキスしたわ」と突き放しニノチカは去っていきます。

これで10分弱、ほぼ20枚にです。

ニノチカのセリフも、レオンのセリフも、誰も言いそうにないけど、**このキャラクターなら言いそうなセリフ**ばかりです。

このあとニノチカもレオンを好きになり今度はレオンに一途になりますが、伯爵夫人に宝石を盗まれ取引としてモスクワに帰ることになり……とストーリーは展開していきます。

コメディなので「~すぎる性格」をめいっぱい際立たせています。メディアやジャンル、題材によって、どれぐらい「~すぎる性格」を際立たせて描くかは違ってきます。ただ、最初のうちはできるだけキャラクターのイメージを明確にし、個性あるリアクションやセリ

1939年　出典：ウィキメディア・コモンズ

フを引き出したいのでコメディぐらい「〜すぎる性格」を思いきり際立たせてイメージすることをおすすめします。

◆『ニノチカ』1939年アメリカ映画（日本公開1949年）監督：エルンスト・ルビッチ　脚本：メルヒオル・レンジェル　チャールズ・ブラケット　ビリー・ワイルダー　ワルター・ライシュ　出演者：グレタ・ガルボ　メルヴィン・ダグラス　上映時間：110分

『大いなる遺産』が教えてくれる

人を好きになる動機もキャラクター！

他人の恋愛に興味津々ですよね？　芸能ニュースの熱愛スクープとか不倫発覚、破局報道などなど、ついつい食いついてしまいます。芸能人が誰と交際しようが別れようが自分には関係のないどうでもいいことのはずなのに。いや、自分とは関係のない、どうでもいいことだからこそ、あれこれ勝手に妄想したりして楽しめるのかもしれません。

と同時に人を好きになる気持ちは万人に共通です。最近は異性とつきあったことがないという人が増えているそうですが、片思いも含め人を好きになったことがないという人はわずかでしょう。人を好きになる気持ちや**好きになることで揺れ動く葛藤**は、より多くの人が**自分のことのように共感しやすく感情移入**してくれます。

だからこそ**ラブストーリーがドラマの王道といわれるわけ**です。

でも、ラブストーリー苦手という方、確かに多いと思います。まあ、わざわざ苦手なことを書くこともないのですが、ラブストーリーって本当に多種多様です。胸がキュンとなるような甘いラブストーリーだけでなく、ビターな悲恋ものもありますし、ラブコメもあります。また、ジャンルとしてはラブストーリーではなくてもラブストーリーの要素が入っているもの、たとえばドラマの縦軸が恋愛ドラマになっている『駅馬車』や、主人公の葛藤に恋愛が部分的にからむ『第三の男』のようなパターンもあります。

ですから、これなら書ける、書いてみたいと思うラブストーリーが必ずあるはずです。

「共通性」を使って感情移入させる

ラブストーリーを書く時に、ちょっとしたコツがあります。どうして主人公は相手を好きになるのか、つまり**好きになる動機づけを明確に**してみてください。

現実に人を好きになる時は明確な動機づけなんてありません。本当はあるのかもしれませんが、はっきりとした自覚なんてありませんよね。

でもシナリオで動機づけがないと、どうして主人公は、この人を好きになったんだろう?と思われてしまいます。それでも好きになる気持ちの動きや葛藤は共感しやすいので感情移入してくれなくもないのですが、**動機づけがあると、より深く感情移入してくれる**ようになります。感情移入すればするほど観客や視聴者は「面白い」と感じてくれます。

ただし、これこれこういうことがあったからと出来事を動機づけにしてしまうと、そんなことでは好きにならないよと思われて、かえって感情移入の邪魔をしてしまうことになりかねません。

動機づけは主人公のキャラクター、特に「共通性」の利用がおすすめです。**共通性とは、**観客や視聴者が自分と同じだなあと思うような**弱いところやダメなところを主人公に持たせる**ことで感情移入の入口にするのです。

弱いところやダメなところといっても、腹を壊しやすいとかストッキングフェチでは自分と同じだなあと思う人も少しはいるかもしれませんが、多くの観客や視聴者にとっては共通性にはなりません。**性格をマイナスに考えると共通性になりやすくなります。生真面目な性格**だと融通がきかない、**無口な性格**だと自己主張が苦手、**気が小さい**だとそのままで共通性になります。

この共通性から、主人公にないものを好きになる相手が備えている、主人公にはできないことを相手はできてしまう、と考えていくと、好きになる動機づけが明確になります。たとえば生真面目な性格で融通が利かない主人公なら、あまり物事にこだわらなくて「まあ、いいじゃないの」が口癖の相手を好きになる、みたいな感じです。あるいは無口で自己主張が苦手な主人公なら、何でも思ったことを口に出して言える相手を好きになる、とすると観客や視聴者が「**好きになる気持ち分かるなあ**」と感情移入しやすくなるのです。

『大いなる遺産』主人公とエステラの出会いのシーン

そこでここでのマエストロ映画は**『大いなる遺産』**です。

いわゆる一般的にラブストーリーと呼ばれるものではありません。ピップと呼ばれる主人公（ジョン・ミルズ）とミステリアスな屋敷に住むミス・ハビシャムの養女エステラ（バレリー・ホブソン）の恋愛ドラマが縦軸として描かれていますが、主人公が莫大な遺産を理由が分からないまま相続することになり、紳士となるべく教育を受けることになるというドラマも、ほぼ平行して描かれていきます。

主人公とエステラの出会いが、注目の**「20枚」シーン**です。

主人公は鍛冶職人の姉夫婦に育てられていますが、叔父とともに慌しく帰ってきた姉にミス・ハビシャムの屋敷に呼ばれたと言われ、無理矢理に頭を洗われ、新しい洋服を着せられます。叔父の馬車で屋敷に向かうと「ベルを鳴らせ」と言われ呼び鈴を鳴らします。

迎えに出てきたのがエステラです。

主人公はエステラに案内されて屋敷の中へ。時計が止まっていることを指摘しても相手にされず「グズグズしないで」と叱られてしまいます。

屋敷は窓がふさがれ日の光が入らず埃と蜘蛛の巣に覆われています。

ミス・ハビシャムがエステラを呼び、主人公とトランプをしておくれと頼みます。するとエステラは「この子と？　労働者の子とは嫌よ」と言い放ちます。

その後もトランプをしながら主人公はエステラに馬鹿にされ「間抜けでどんくさい」と言われます。

ハビシャムに「彼女をどう思う？」と訊かれ「言いたくありません」と答えます。「こっそり教えて」と言われ「お高くとまっています」「とてもきれいです」「とても失礼です」と耳打ちします。

主人公は帰り際に悔し涙を流し、エステラに「泣き虫」と言われ、走り去ります。

これで10分弱、20枚ぐらいです。

こんな出会いでも主人公はエステラを好きになるのです。もちろんエステラの美しさや高貴さもありますが、それ以上に、控えめで周りの人のことを優先し**自**

分が二の次になってしまう主人公は、とにかく自分が一番なエステラに心魅かれるのです

すべての動機づけはキャラクター

その後も主人公はたびたび屋敷に呼ばれるようになりますが、14歳となり鍛冶職人の見習いになるため屋敷を訪ねることができなくなります。一方、エステラはレディになるためフランスへ留学します。もう二度と会うことはないと思われましたが、主人公は誰のものかは分からない遺産を相続することになり、紳士としての教育を受けにロンドンへ行きます。そして、ついにエステラと再会します。粗末で下品な少年としてではなく立派な紳士として。初めて二人は対等な関係で会うことができたのです。

エステラとの出会いのシーン　H.M.Brock 画、1901 年　出典：ウィキメディア・コモンズ

しかし、エステラに「財産と家柄だけが取り柄」の男が近づいてきます。エステラの「蛾はろうそくの火に群がるものよ」という**キャラクターならではのセリフ**が抜群です。主人公に嫉妬の気持ちが生まれます。初めてエステラに「愛している」と告白しますが、エステラは「私は誰のことも愛さない」と言いつつ男と結婚することに……。

この恋愛ドラマの一方、主人公のもとに映画の冒頭で助けた脱獄囚が訪ねてきます。そして、この脱獄囚こそが遺産を相続してくれた人物だと分かります。主人公は何もかも捨てて、イギリス国内で捕まれば死刑

になる脱獄囚とともにオーストラリアに逃げることを決意します。ここも、**いかにも主人公のキャラクターらしい行動**です。
イギリス脱出は失敗し、脱獄囚は逮捕され死刑の判決を受けます。さらに病に侵され脱獄囚は亡くなるのですが、ここで実はラブストーリーとつながります。

もう一つ**主人公のキャラクターならではのシーン**を紹介します。弁護士事務所の事務員の家で事務員の父親の相手をするのですが、うなずくと父親が喜ぶと言われ、何度もうなずいてやるのです。事務員とは、脱獄囚を匿っていることや主人公が監視されていることなど深刻な話をしていますが、父親が笑ってうなずいてくると、またうなずき返してやります。
主人公がエステラを好きになるのも、脱獄囚を助けるのも、脱獄囚が亡くなる時に言うセリフも、クライマックスの行動も、**すべて動機づけは、このキャラクター**なのです。

◆**『大いなる遺産』** 1946年イギリス映画（日本公開1949年） 監督：デヴィッド・リーン 脚本：デビッド・リーン ロナルド・ニーム アンソニー・ハブロック＝アラン セシル・マッギバーン ケイ・ウォルシュ 原作：チャールズ・ディケンズ 出演者：ジョン・ミルズ バレリー・ホブソン ジーン・シモンズ 上映時間：118分

『イヴの総て』が教えてくれる
「悪い人」は強い欲望と目的で描く！

「悪い人」が書けません、という悩みをよく聞きます。

確かに、登場人物が「いい人」ばかりになってしまうと、なかなか面白くなりません。**「いい人」ばかりだと、ぶつからないんですね**。シナリオでは登場人物同士がぶつかればぶつかるほど、揉めれば揉めるほど面白くなります。

とはいえ、絶対に「悪い人」を書かなきゃいけないわけではありません。「悪い人」じゃなくても**「弱い人」や「ダメな人」が書ければ十分です**。「いい人」でも、何となく「いい人」ではなく、**どんな風に「いい人」なのか**、もう一つ具体的にイメージしてみてください。たとえば、いつもニコニコしている「いい人」なら八方美人かもしれません。正義感あふれる「いい人」なら杓子定規で説教臭いかもしれないと考えられます。「いい人」を「弱い人」や「ダメな人」にすることで、ぶつかったり揉めたりさせることができます。

また、「いい人」だからって、いつも、いいことばかりしているとは限りません。たまには、やってはいけないこともするはずです。つい悪口を言ったり、怠けたくなったり、憂さを晴らしたくなることもあるでしょう。「いい人」が、いいことをする、いい話では面白くなりません。**「いい人」でも、やってはいけないことをさせてみて**ください。

というわけで、「悪い人」が書けなくても全然構わないのですが、**「悪い人」を生き生き描けると、シナリオが一味も二味も違ってくる**んですよねえ。

ＡＦＩ（アメリカン・フィルム・インスティチュート）が２００３年に選んだアメリカ映画悪役ナンバー１は『羊たちの沈黙』のハンニバル・レクターでした。もう、名前を聞いただけで背筋がゾクゾクしちゃいます。レクター博士みたいな悪い人が書けたら楽しいに決まっています。まあ、いきなりレクター博士はハードルが高いかもしれません。でも、悪い人を書くのが苦手でも、これなら生き生き描けるという、とっておきのパターンがあります。ぜひチャレンジしてみてください。

結果として「悪い人」になっている

「悪い人」を書くのが苦手でも、それを生き生きと描く方法を教えてくれるマエストロ映画は『**イヴの総て**』です。

舞台は演劇界。といってもステージで演技しているシーンはなく、描かれているのはブロードウェイの裏側です。映画の冒頭の演劇賞授賞式に居並ぶ面々を見ても、いかにも一癖も二癖もありそうな人物がうようよ出てきそうな世界ですが、アン・バクスター演じるイヴは決してアクの強いキャラクターではありません。

「悪い人」が書けないという方は、最初から人並みはずれた毒を持つ、ともすると特異な（まさにレクター博士のような）キャラクターを考えようとしてしまって、シナリオで実際に描こうとしても具体的な行動やリアクションやセリフが浮ばず、**いかにも作りもののようなパターンな描き方しかできなくなってしまう**という罠に陥りがちです。

しかし、イヴは特異なというより、むしろ身近な、私たちの周りにもいそうな人物です。そんなイヴが、ベティ・デイヴィス演じる大女優マーゴの付き人になると、周りの演出家や劇作家夫妻、演劇評論家に取り入ったり脅したりして、女優として一気に上りつめていきます。その、いつも薄っすらと笑みを浮かべている悪女ぶりは爽快にさえ感じられます。

ポイントは欲望と目的です。いきなり人並み外れた毒を持たせるのではなく、**強い欲望と目的**を持たせているのです。そして、**そのためには手段を選びません**。結果として「悪い人」になっているというわけです。

ミルウォーキーのビール工場で働いていたイヴは、ニューヨークに来ると毎晩マーゴの舞台を観て、出待ちをします。その姿を見て劇作家夫人カレンが、イヴをマーゴに会わせます。そこでイヴは身の上話をします。

実は、嘘の身の上話です。映画の後半、演劇評論家アディスンによって明かされるのですが、イヴは未婚です。しかし、夫の戦死をきっかけにマーゴの舞台と出会い、以来、すべての舞台を観るようになったと語るのです。

この嘘がマーゴの気持ちをつかみます。付き人になったイヴは、ちょっとしたことにも気を利かし、素早く判断し行動し、マーゴに「イヴは私の妹、弁護士、母、友人、精神科医、警官になった」と言わしめます。

イヴの目的

ここで印象的なシーンがあります。マーゴがカーテンコールに応えているのを見つめていたイヴは、マーゴから受け取った舞台衣装を、人知れず胸に当てカーテンコールに応える空想に浸って、お辞儀の練習をするのです。純粋にマーゴの演技に心酔し憧れているのなら舞台のワンシーンを真似て演じるはずです。イヴの欲望や目的は素晴らしい演技ではなく、満員の観客からもらう拍手喝采なのです。

イヴは、マーゴの若き恋人で演出家ビルとの関係をマーゴに疑われていきます。どこまで意図的なのか分かりませんが、わざと疑われるように仕向けてマーゴを嫉妬させたようでもあります。

オーディションにマーゴが遅刻、イヴが代役として「炎と音楽」の演技を披露します。これにマーゴが激怒。イヴは自分を過小評価し謙虚ですが、これもマーゴを煽っているかのようにも見えます。マーゴの不遜な態度にビルは別れを切り出し去っていき、話を聞いた劇作家夫人カレンがマーゴを懲らしめようと車のガソリンを抜いて立ち往生させ、マーゴを舞台に間に合わせなくします。

舞台の代役を終えた楽屋でイヴはビルを誘惑しますが断られ、舞台衣装のかつらを投げつけ引きちぎろうとします。いよいよイヴの本性が垣間見えてきます。

イヴの演技は絶賛されますが、イヴがマーゴを中傷したかのような評論家アディスンの記事により街中の反感を買ってしまいます。マーゴが傷ついているのではないかと心配したビルはマーゴの元に戻ってきます。

本性を見せたイヴの変貌ぶり

注目のマエストロ映画の「20枚」は、ここからです。マーゴとビル、劇作家ロイドとカレン夫妻の4人が店に集まり、ビルがマーゴにプロポーズ、マーゴも受けて、ロイドとカレンが祝福します。

と、カレンにメッセージカードが。「楽しい機会に申し訳ありませんが、重要なお話があります。どうか、お化粧室へ。イヴ」

お化粧室にイヴが待っています。アディスンと話していると麻酔を打たれた時のように思ってもみないことを話してしまった、自分の言いたい言葉が、なぜか彼の言葉に変化して彼の意見を代弁していた、すべて

ベティ・ディヴィス（左）とゲイリー・メリル（右）
1950 年　出典：ウィキメディア・コモンズ

私が悪いんですと謝ります。

最初はイヴの謝罪を受け付けないカレンでしたが、だんだん、自分を責め落ちこむイヴを慰め始めます。「焦らず、人の目を気にしないで、あなたは若く才能がある。もし私に、私にできることがあれば……」と立ち上がり去りかけた時です。

イヴがカレンの手を強く握り引き止めます。「ありますわ。あなたにしかできません」

カレンは、すぐにロイドの次回作の主役のことだと分かります。「ロイドに口添えを。彼は、あなた次第だと」というイヴに「結局は、それ？」と断固としてロイドへの口添えを拒否します。

するとイヴは、マーゴが舞台に穴を空けるよう仕向けた犯人はカレンだとアディスンは知っていると言い出します。実は、これもイヴの嘘です。アディスンは知りません。

イヴは、自分がロイドの次回作の主役をやればアディスンは事実を明かさないと取り引きします。ガソリンを抜いたのがカレンだとマーゴが知ったら？　ロイドはどうなる？と脅します。ついにイヴの本領発揮

です。

「芝居の役よ。たかが役に、そこまで」というカレンに「主役のためなら、もっとやるわ」と言ってイヴは去っていきます。

カレンは呆然と座りこんだまま動けません。

ここまでで10分弱です。本性を見せたイヴの変貌ぶりに目が離せません。

結局、次回作の主役はマーゴが自分から降り、あっさりイヴの手に。すると今度はロイドを狙い、公演初日の前夜、隣人に嘘の電話をかけさせロイドを家に誘いこみます。

何もかも思い通りのはずが、数々の嘘をアディスンに見破られていて逆に脅され悔し泣きするところで、冒頭の演劇賞授賞式のシーンに戻りますが、**なぜかイヴの逆襲を期待し応援したくなっている**から不思議です。

「悪い人」、生き生きと描けそうですか？　手始めに嘘をつかせてみてください。登場人物に**強い欲望と目的を持たせ、そのために巧みな嘘をつかせる**のです。


イヴのように。

◆『イヴの総て』１９５０年アメリカ映画（日本公開１９５１年）　監督・脚本：ジョセフ・Ｌ・マンキーウィッツ　出演者：アン・バクスター　ベティ・デイヴィス　上映時間：１３８分

『怒りの葡萄』が教えてくれる「共通性」で感情移入させる！

イメージしてみてください。オリンピックのマラソンを日本でTV中継することになりました。どうなれば、より多くの視聴者に観てもらえるでしょう？

まずレース展開としてはデッドヒートですよね。一人の選手がスタートから飛び出して、ずーっと1位のまま突っ走って、ぶっちぎりでゴールするのもスカッと爽快感はあるかもしれません。でも、やっぱり、二人の選手が競り合って、片方が飛び出したら、もう片方が追いかけて、引き離そうとするけど追い上げてきて、追いつく、さらに追い抜く、でも逆に追いつかれる、けど引き離しにかかる、食いつかれる、追い抜かれる、みたいに抜きつ抜かれつのほうが引きつけられてテレビに釘づけになります。

ただ、この二人の選手がカザフスタン共和国とトリニダード・トバコの選手だったら、どうですか？　元々マラソン好きの人は観るでしょうけど、そうでない人は観ないかもしれません。片方が日本人選手だと、たくさんの人が観るわけです。

シナリオでいうと**デッドヒートは「葛藤」**、**日本人選手は「共通性」**になります。「共通性」とは、観客や視聴者が自分と同じだなあと思うような**「弱いところ」や「ダメなところ」**です。

小説と映像（映画やテレビドラマなど）を比べると、小説の登場人物は当たり前ですが文章で描かれていて、具体的なイメージは読者が自分で作り上げます。小説が映画化されたりドラマ化されたりすると、原作のファンで思い入れが強ければ強い人ほど「俳優が違う！」と感じたりします。それだけ強いイメージを自分で作っているわけです。

自分で作ったイメージですから自分を重ね合わせやすく、感情移入もしやすくなります。小説の中には、あえてキャラクターを描かず、無色透明で無個性な人物にしているケースもあります。無色透明であれば読者が自分で思い通りにイメージでき、それだけ感情移入しやすくなるのです。

これに対し映像は俳優さんが演じます。そもそも他人であるところからスタートしなければなりません。たとえば主人公を演じる俳優さんが福山雅治さんだとしたら自分を重ね合わせようとしても重ね合わせられませんよね。それだけ感情移入しにくくなります。もし無色透明で無個性なキャラクターにしたら自分とは別人であることだけが際立ちます。そこで**主人公に共通性を持たせることで、観客や視聴者に「自分と同じだなあ」と思わせ、感情移入させる**のです。

マラソンで、同じレース展開でも日本人選手かそうじゃないのかで観るか観ないかが分かれるように、主人公の共通性がしっかり描けているかどうかで観客や視聴者が感情移入し「面白い」と感じてくれるかどうかが大きく違ってきます。

「履歴」を考えるときには

ここで気をつけてほしいことがあります。キャラクターを考えるときに、かつて、こんな経験をしている、あんな出来事があったと**過去のストーリーを作ってしまう**ことです。主人公は幼少期にこうで、学生の時にこうで、中学生の時にこうで、と年表を作ってしまう人もいます。「履歴書を作れ」と言われているからでしょう。しかし、過去の出来事を作れば作るほど、観客や視聴者にとっては**自分を重ね合わせにくくなっていきます**。過去に同じような経験をした人は自分と重ねることができますが、そうでない人は自分とは違うと思えてしまうからです。いわば日本人選手ではなくカザフスタン共和国の選手になっていくわけです。自分と同じだと思えなくなればなるほど、感情移入しにくくなるのです。

もし、連続ドラマや大河ドラマや朝の連続テレビ小説などのシナリオを書くことになって、主人公や登場人物の**履歴を作る必要ができた時は、共通性から考えていく**のがコツです。

たとえば、気が小さいという共通性があって、じゃあ、小学生の時にどんな成績だったか、気が小さいから予習復習を欠かさなかっただろう、でも本番に弱くてテストでは力を出し切れず、どの教科も同じように勉強するからオール4だったんじゃないだろうか、そんなオール4タイプの学生なら私立大学より国公立を受験するだろうな、地方在住だとして気が小さいから東京には行けなくて地元の大学かな、いや一人暮らしはしたかったりして隣の県の県立大学かな、みたいな感じです。

こうすると共通性が具体化され際立ってきて、どんなに過去を作っても感情移入しにくくなることはありません。

社会派ホームドラマ『怒りの葡萄』

マエストロ映画『**怒りの葡萄**』で考えてみましょう。

オクラハマ州の小作農家であったジョード一家は大資本に土地を奪われ、職を求めてトラック一台でカリフォルニアに向かいます。過酷な道のりの末、ようやくたどり着いたカリフォルニアでも、大資本に翻弄され過酷な生活を強いられて……というように、1930年代の大不況を背景に、農民や農場労働者をリアルに描いた社会派ドラマであり、次々と襲いかかってくる試練を力を合わせ乗り越えようとする家族のホームドラマでもあります。

主人公のトム・ジョード（ヘンリー・フォンダ）には人を殺した過去があります。その罪で刑務所に4年間服役し、仮出所して故郷の家に向かうところから映画は始まります。便乗禁止の会社の規則を破ってまでトラックに乗せてくれた運転手が詮索してくるのにキレてしまいます。この**短気な性格**というか、**悪意に対して我慢したり黙って耐えるのが苦手なところが共通性**になります。

職を求めてやってきたカリフォルニアですが、その途中では祖父母が亡くなってしまいますし、町は流れこんできた労働者であふれ仕事はなく、一家は仕方なく町外れのキャンプにテントを張ります。そこに雇用を請け負う仲介業者が来ます。雇用契約書を作って賃金を明記しろと要求する男と揉め、仲介業者と一緒にいた保安官が男を逮捕しようとします。男が保安官を殴って逃げると保安官は発砲、流れ弾が女性に当たってしまいます。

すると思わず主人公は、なおも男に発砲しようとす

主人公役のヘンリー・フォンダ　1940 年　出典：ウィキメディア・コモンズ

る保安官に飛び掛かり倒してしまいます。オクラハマから行動をともにしてきた元牧師のケーシーが蹴りを入れて保安官をノックアウト。ケーシーは、仮出所が取り消されるからと主人公を逃がし、自分が身代わりになって連行されていきます。

その夜、キャンプが焼き打ちされると聞き、一家はあてもなく出て行きます。ガソリンも食料も底をつきかけた時、たまたま桃摘みの仕事があると言われ農場に入りますが、入口ゲートは農場労働者らしき人々や警官たちで騒然としています。何事かと気になった主人公は、晩ご飯を終えて様子を見に行きます。

主人公にグイグイと感情移入

注目のマエストロ映画の「20枚」は、ここからです。川の近くにテントが張ってあり、男たちが集まっています。その中に何とケーシーもいて、「入れ」と言われ、「ゲートでの騒ぎはストだ」と教えられます。ケーシーたちは主人公と同じ賃金で雇われたのですが、「労働者が集まりすぎたから」と賃金を半額にされたのです。ケーシーは「主人公たちも半額にされるのは時間の問題だ、それではとても生きていけない、ストに参加しろ」と言いますが、主人公は家族のことを考えると「ストには参加できない」と言います。

その時、農場が雇った男たちが襲ってきます。ストのリーダーと思われているケーシーは棍棒で殴られ、殺されます。すかさず主人公は棍棒を奪い取り、殺した男を殴り殺してしまいます。主人公も顔を殴られますが、何とか逃走します。

サイレンが鳴る中、住居に戻ってきます。一家は必死で主人公を匿います。翌朝、「顔の傷で犯人が分かる、見つけ出してリンチにする」と捜索隊が出ていると母親が聞きつけてきます。「迷惑はかけたくない」と言う主人公に、母親は「お前は悪くない、出て行ったからって事情は変わらない、お前が出て行ったら家族がバラバラになる」と説得し、主人公も「気は進まないが、いることにしよう」と答えます。

ここまでで約10分、およそ20枚です。

このあとケーシーの言う通り賃金が半額になり、一家は農場を出て国営の農務省キャンプにたどり着き、安住の地を得ますが、主人公は身元がバレそうになったことから、ついに一人、家族から離れることになります。

こんな時代がアメリカにもあったのかと驚かされます。当たり前ですが私たちは当時の状況とは違う現在に生き、主人公の境遇とはかけ離れています。それでも**グイグイと主人公に感情移入し、引きこまれてしまう**ことを実感していただきたいと思います。ポイントは黙って傍観できないという**主人公の性格が「共通性」になっている**ところです。

◆『怒りの葡萄』 １９４０年アメリカ映画（日本公開１９６３年） 監督：ジョン・フォード 脚本：ナナリー・ジョンソン 原作：ジョン・スタインベック 出演者：ヘンリー・フォンダ ジェーン・ダーウェル ジョン・キャラダイン 上映時間：１２８分

錬金術の極意2

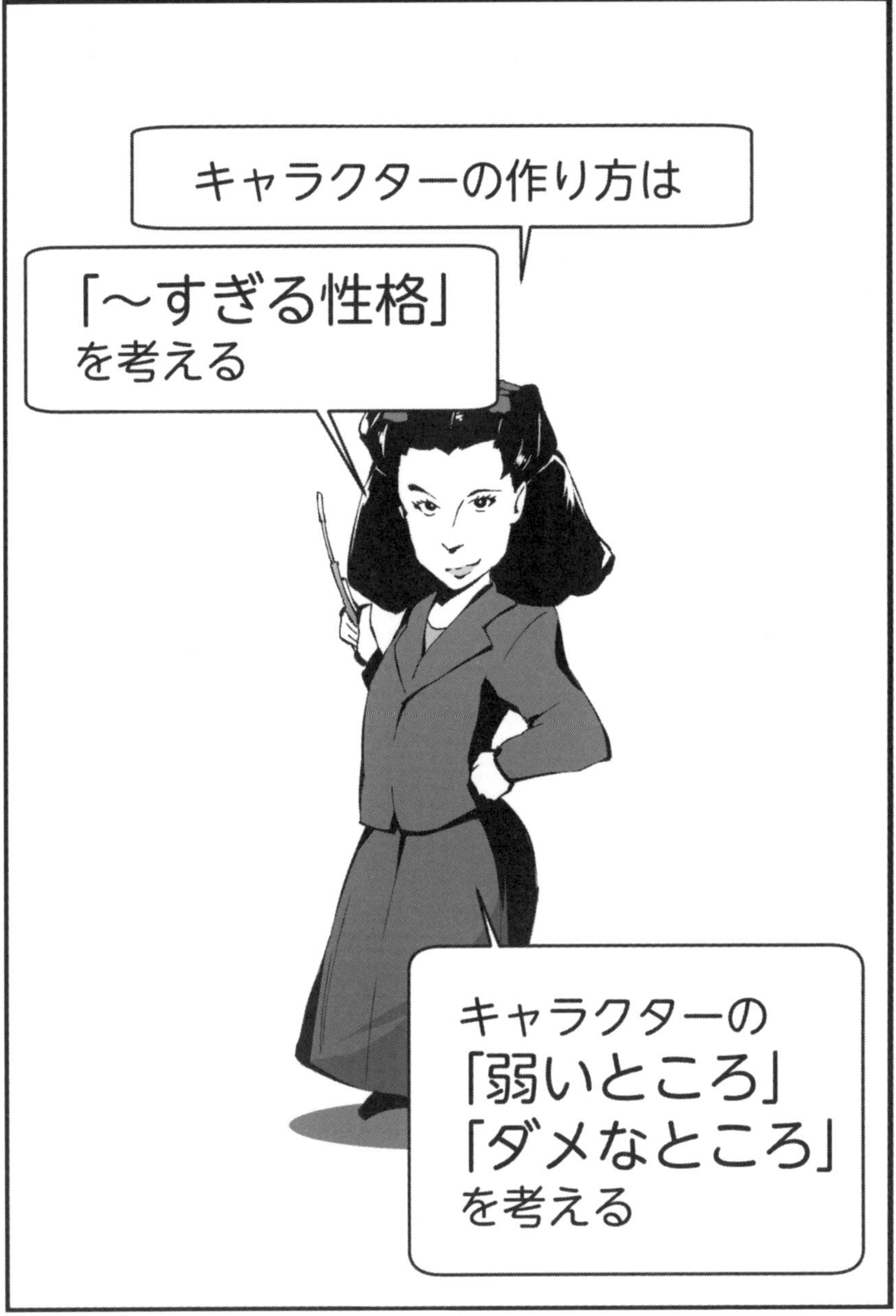
キャラクターの作り方は
「〜すぎる性格」
を考える
キャラクターの
「弱いところ」
「ダメなところ」
を考える

第2章

主人公をとことん困らせる

『お熱いのがお好き』が教えてくれる

主人公が困れば困るほど、観客は引き込まれる！

面白いシナリオって、一体どんなシナリオでしょう？

まず、誰が「面白い」かというと、当たり前ですが観客や視聴者です。

そこで「観客や視聴者を意識してシナリオを書きなさい」なんて言う人がいます。でもね、どんなに意識したところで観客や視聴者が「面白い」かどうかなんて分かりません。だって観客や視聴者は他人ですから。他人が「面白い」かどうかなんて、結局は分かるはずがありません。だから、ただ漠然と観客や視聴者を意識することには何の意味もありません。

漠然と観客や視聴者を意識するのではなく、より具体的に考えてみましょう。たとえば、**どういうときに観客や視聴者は「面白い」と思うのか？** 自分が映画やドラマを観て「面白い」と思ったときのことを思い出してみてください。感情移入しませんでしたか？

たとえば、女性がラブストーリーを観たとき、ヒロインになったつもりでドキドキして恋愛している気分になりませんでしたか。男性ならアクション映画です。かつてブルース・リーの映画を観た男性は映画館を出てくると、みんな、ブルース・リーになっていました。

では、**どうすれば観客や視聴者は感情移入してくれるのでしょう？**

感情移入させるポイントは、いくつかあります。その一つが**主人公を困らせる**ことです。困らせれば困らせるほど観客や視聴者は、どうするんだろう？　どうなるんだろう？と引きこまれていきます。

まず困らせ、次々困らせ、どんどん困らせ、とことん困らせ、最後の最後まで困らせてみてください。どれほど主人公を困らせているかが、観客や視聴者が「面白い」と思ってくれるかどうかの第一チェックポイントです。

まず困らせ、次々困らせて……

ここでのマエストロ映画は『お熱いのがお好き』です。ジャック・レモン演じるジェリーとトニー・カーチス演じるジョーは、殺人現場を目撃したことからギャングに追われ、女装して女性限定のジャズバンドに潜りこみます。バンドにはマリリン・モンロー演じる歌手のシュガーがいて……というコメディです。

セリフやディテールの設定にアイデアが満ち溢れています。たとえば冒頭、霊柩車がなぜか警察の車に追われ激しい銃撃戦が始まります。霊柩車が逃げ切りますが棺に銃弾の穴があき、何やら液体がドボドボこぼれています。棺を開けるとウイスキーのボトルがびっしり。そこで「1929年、シカゴ」と字幕が出て禁酒法の時代と分かります。霊柩車は密造したウイスキーを運んでいたのです。

さらに霊柩車から葬儀場に棺が運び込まれます。礼拝堂が秘密の酒場になっているのです。客が酒を注文すると店員はコーヒーしかありませんと答えます。「コーヒー?」「カナディアンコーヒー、スコッチコーヒー……」ウイスキーをコーヒーと呼んでいるわけです。

さて、ジェリーとジョーは、この礼拝堂の秘密酒場のバンドマンだったのですが、警察の手入れが入って逃げ出すしかありません。

無一文で放り出され、コートを質に入れドッグレースに賭けますが負けてしまいます。

ベースとサックスを探していると聞いて飛びつきますが、女性限定のバンドで、仕方なく1日だけの仕事を紹介されます。車を借りることになり駐車場へ行くと、そこで殺人事件を目撃しギャングに追われることになり、女装して女性限定バンドに逃げこむのです。

まず困らせ、次々困らせています。

女性限定バンドがマイアミに向かう汽車の中では、ジェリーのベッドにシュガーが入ってきて体を密着させたり、足が冷えているとマッサージしてくれたりします。ジェリーは「私は女、女、女……」と唱えて耐えるしかありません。

さらに、ジェリーのベッドに次々と女性たちが集まってきてパーティーが始まります。しゃっくりしたジェリーは背中に氷を入れられたり、くすぐられたりして耐えきれなくなり思わず非常ブレーキを引いてしまいます。

とにかく、どんどん困らせています。

困って、逃げても……

マイアミに着いてからも、ジェリーは大金持ちの爺さんに気に入られ、ジョーも背の低いボーイに言い寄られます。

女装をやめシェル石油の御曹司のふりをしたジョーは、シュガーに近づき、大金持ちの爺さんのクルーザーを自分のものだと偽って誘いますが、モーターボートの操作が分からず仕方なくバックのまま進みます。

クルーザーに乗ったら乗ったで、どのドアが何の部屋か分からず戸惑います。

一方、ジェリーは大金持ちの爺さんを引き留めるためダンスをしますが、つい自分がリードしていたり、口にくわえていた花が、気がつくと爺さんがくわえていたりします。

ジェリーとジョーが泊まっているホテルにイタリア歌劇愛好会がやってきます。実はギャングたちの集まりです。ジェリーとジョーを追うギャングたちの姿を見た二人が部屋に戻ろうとエレベーターに乗ると、ギャングたちも乗りこんできます。

何とか気づかれず部屋に戻ると大慌てで荷造りし、窓から逃げますが、ギャングたちの部屋のベランダに降りてしまいます。ギャングたちにも二人の女装がバレて追われます。

車いすの男とボーイに変装して逃げようとしますが、ハイヒールを履いているのに気づかれ、宴会場のテーブルの下に逃げ込みます。しかし、そこはイタリア歌劇愛好会の宴会の場所だったのです。テーブルの下で固まっていると、二人を追うギャングたちがイタリア歌劇愛好会の会長の手下に銃殺されてしまい、思わずテーブルから飛び出して逃げていきます。またまたギャングが追いかけてきます。

ジェリーが大金持ちの爺さんに電話してモーターボートを桟橋に待機させてもらいます。追ってくるギャングを振りきって二人がモーターボートに乗り込むと、シュガーも自転車で追ってきて乗り込んできます。

走り出すモーターボートでジョーとシュガーはキスをして結ばれます。一方、ジェリーは大金持ちの爺さんに、あなたとは結婚できないと言いますが、承知してくれません。ついに「**俺は男だ！**」と女装していたカツラを取りますが、爺さんに「**完全な人間はいない**」と返されてしまいます。

この大金持ちの爺さんの最後のセリフは有名ですが、まさに、とことん困らせ、最後の最後まで困らせています。

シュガー役のマリリン・モンロー
1959年　出典：ウィキメディア・コモンズ

コメディは常に困らせる

さて、注目の「**20枚**」は、ジェリーとジョーの登場から。葬儀場の秘密酒場のバンドでジェリーはベースを、ジョーはサックスを弾いています。その日は給料日で、ジョーは有り金をドッグレースに注ぎこむと言います。「負けたらどうする」と言うジェリーに、「この仕事があるから大丈夫だ」と言っていると、警官たちが踏み込んできてしまいます。

二人は裏口から逃げ出し、ジョーはコートを羽織りながら「コートでいくら貸すかな？」と。「俺のコートは犬にはやらないぞ」というジェリーに「明日には20着買ってやる」と言いますが、次のシーンは吹雪の中、二人がコートなしで身体を丸め歩いています。ドッグレースのシーンは省略されています。

仕事を捜してエージェントを片っ端から訪ねますが、全然ありません。ジョーが楽器を質に入れてドッグレースに注ぎこもうと言い出して口論になり、うっかり、あるエージェントのドアを開けてしまいます。そこにはジョーが土曜日に約束をすっぽかした受付嬢がいるのです。逃げようとしますが呼び止められてしまいます。

そこで受付嬢から、ちょうどベースとサックスの仕事があると言われます。意気込んで、その仕事を紹介してくれと奥の部屋へ行きますが、女性だけのバンドです。ジェリーは変装すればいいと言いますが、相手にされず、1日だけの仕事を紹介されます。

とはいえ、この寒さの中、コートなしで、どうやって仕事先へ行くか…というところで10分です。

とにかく、どのシーンも、つねに二人を困らせていることに注目してください。特に**コメディは、どれだけ困らせて右往左往させるか**に面白くなるかどうかがかかっています。

自分が書いているシナリオを観客や視聴者が「面白い」と思ってくれるかどうかを、まず、**どれぐらい主人公を困らせているかでチェック**してください。そして、**もっと困らせられないか**と考えてください。

◆『**お熱いのがお好き**』1959年アメリカ映画　監督・製作：ビリー・ワイルダー　脚本：ビリー・ワイルダー　I・A・L・ダイアモンド　原作：R・ソーレン　出演者：トニー・カーチス　ジャック・レモン　マリリン・モンロー　上映時間：120分

『北北西に進路を取れ』が教えてくれる

困らせ方を考えれば面白くなる！

この先どうなるんだろう?と思わせてくれる映画やドラマって、引きこまれますよね。

特に連続ドラマなんて続きは1週間後です。途中で止められて翌週までおあずけなんて、考えてみれば不思議な観方をしています。本当に面白いドラマだと観終わった瞬間から続きが気になって、さらに次週予告で煽られ、うわ〜どうなっちゃうんだよ〜と1週間ず〜っと待ち遠しくてたまらなくなったりします。

逆に言うと観客や視聴者に面白いと思ってもらうには、この先どうなるんだろう?と思わせることです。

そのためには、まずは主人公を困らせることです。できれば作者自身も、この先どうなるのか分からないような困らせ方を考えてみてください。どう困らせようか考える時に、ついつい作者が解決できる範囲内で考えてしまいがちです。自分で解決できる範囲を超えて困らせ方を考えてください。

そんなことをしたら、どうしたらいいのか分からなくなって、先に進めなくなるんじゃないの、と不安かもしれません。でも、必ずしも解決する必要はないのです。**主人公が、どうリアクションし行動するか、**これさえみえてくれれば、書き進められます。解決するのではなく、**主人公の行動によって、より悪い状況に追いこまれていく**ほうが、どうなるんだろうとますます観客や視聴者は引きこまれるのです。

自分で解決できない困らせ方や、この先どうなるのか分からない困らせ方を考えるのはこわいのですが、ぜひ一歩、踏み出してみて下さい。

いきなり窮地に

お手本のマエストロ映画は**『北北西に進路を取れ』**です。
商談のためホテルのラウンジを訪れた広告代理店の

重役ロジャー・ソーンヒル（ケーリー・グラント）が、ちょうど「ジョージ・キャプラン様はいらっしゃいますか？」と声をかけているボーイを呼び止めたことからスパイと間違われ、謎の男たちに拉致されることから始まるサスペンス・アクションです。

サスペンスやアクションは、**いかに主人公を窮地に陥れるかが勝負**です。何とかなりそうな危機や勝てるかもしれない敵では観る気がしませんよね。とはいえ、どういう形であれ主人公が窮地を乗り越えていく必要もあります。最終的には解決しなければならないけど解決しそうにない事件や、最終的には勝たなければならないけど勝てそうにない相手を考えることこそ、サスペンスやアクションの難しいところでもあり、醍醐味でもあります。

主人公はタウンゼントと名乗るボスらしき男に人違いだと言いますが、まったく聞いてもらえません。免許証を出そうとしても「偽造に決まっている」と言われてしまいます。挙句に無理やりバーボンを飲まされ、車の転落事故に見せかけて殺されかけます。

さらにタウンゼントという男を追って国連へ行くと、ボスらしき男とタウンゼントは別人で、さらに男たちの一人がナイフを投げタウンゼントを刺殺、抱きかかえた主人公がナイフを抜いたところを写真に取られ、殺人事件の容疑者としても追われることになります。

一体この先どうなるんだろう？と**引きこまれる出だしの困らせ方**です。

迫りくる軽飛行機、タンクローリー

マエストロ映画注目の「**20枚**」は、特急寝台列車で警官から匿ってくれたイヴ・ケンドール（エヴァ・マリー・セイント）という美女にホテルに電話をかけてもらい、キャプランという男と待ち合わせをするところからです。

ケンドールに指示された待ち合わせのバス停で主人公が降りると荒地の平原です。バスが走り去ると車も人影もなく、遠くに建物の影が見えていて、動くものといえば遠くで農薬を散布している軽飛行機だけです。

と、1台の車が走ってきます。しかし、主人公の傍らをスピードを落とさず走り抜けていきます。しばらくすると、また1台。主人公は、いよいよキャプランが現れたかと身構えますが、やはり走り抜けていきます。また車の影が。近づくとトラクターで砂煙をあげて走り去ります。

今度は荒地の向こう側から車が走ってきます。一人の男を降ろし車は走り去ります。主人公は男に近寄り探りを入れつつ「ここで誰かと待ち合わせをしているんじゃないか」と尋ねると「バスを待っている」という返事です。バスが見えてきます。男は軽飛行機を見て「**変だな、あのあたりには畑はないのに**」と言ってバスに乗り、去っていきます。

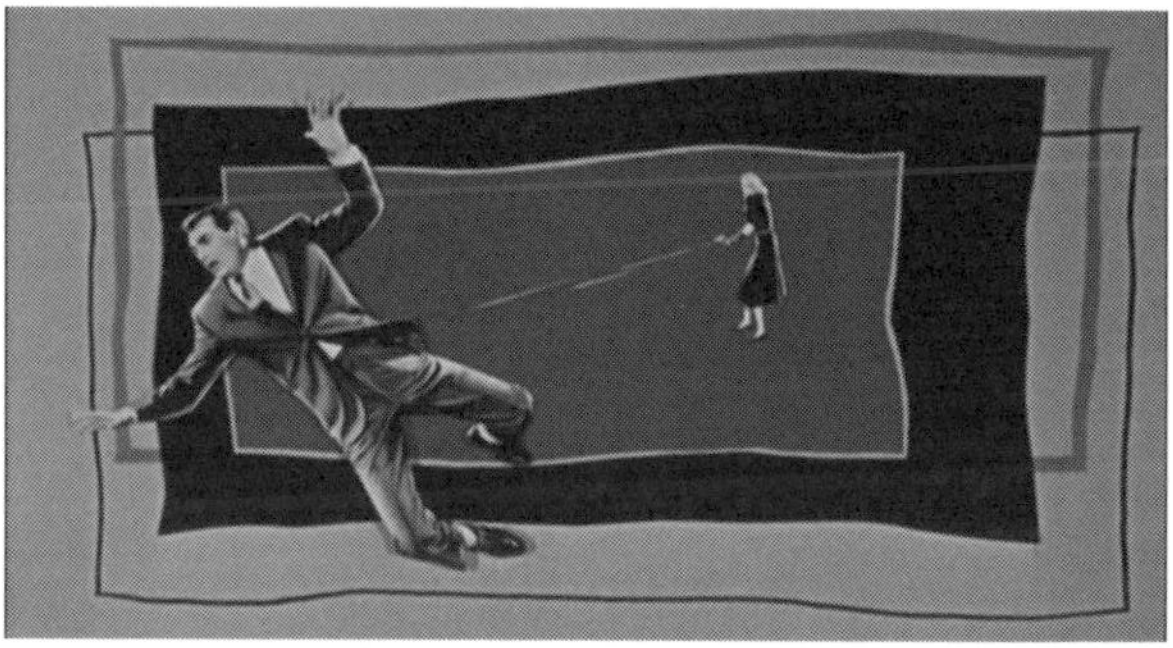

劇場予告編からのスクリーン・ショット
1959 年　出典：ウィキメディア・コモンズ

また一人ぼっちになった主人公に、軽飛行機が真っ直ぐ向かってきます。地面に倒れこんだ主人公ギリギリを低空飛行していきます。主人公が立ち上がると、また軽飛行機が向かってきます。主人公は窪地に飛びこみ身を隠しますが、今度は銃を撃ってきます。軽飛行機が旋回している間に、走ってきた車に助けを求めますが止まろうともしません。

また襲いかかってくる軽飛行機から走って逃げる主人公は、枯れたとうもろこし畑の一角を見つけ、その中に飛びこみます。軽飛行機は主人公の姿を見失ったようで一瞬ホッとしたものの、戻ってきた軽飛行機が農薬を散布してきます。主人公は農薬まみれで咳きこみます。

枯れたとうもろこしの間からタンクローリーが走ってくるのが見えます。主人公は必死で走って道路に立ちはだかります。警笛を鳴らし走ってくるタンクローリーに轢かれたかと思った瞬間、タンクローリーは止まり、主人公は前輪と前輪の間に倒れこみます。そこへ軽飛行機が突っこんできてタンクローリーに激突します。運転手と主人公が慌てて逃げるとタンクローリーは爆発します。

走ってきた車が路肩に止まり、降りてきた運転手が爆発に気を取られている隙に、主人公は車を奪って逃げていきます。

これで10分弱、およそ20枚です。

軽飛行機に襲われるにしろタンクローリーが迫るにしろ、もちろん主人公がここで死ぬわけはないことは分かっています。**分かっていても、この先どうなるんだろう?**と引きこまれる困らせ方になっています。

困らせ方のさまざまな工夫

骨董品のオークション会場のシーンは**切り抜け方にアイデア**があります。謎の男たちに出口を固められ出られなくなるのですが、オークションにでたらめな金額を提示して揉め事を起こし、警官に会場から連れ出されるよう仕向けるのです。

さらに謎の男たちが国家機密を売買するスパイで、彼らの元に政府機関が送りこんだエージェントがケンドールであることを知った主人公が、いきなりケンドールに拳銃で撃たれるシーンもあります。**実は拳銃は空砲**で敵スパイがケンドールに抱き始めた疑いを晴らすための作戦だったのです。

クライマックスはラシュモア山の歴代4人の大統領の巨大モニュメントでのアクションシーンです。

最初から最後まで、つねに観客を引きつけよう、引きつけようという工夫に、ぜひ注目してください。

◆**『北北西に進路を取れ』**1959年アメリカ映画　監督・製作：アルフレッド・ヒッチコック　脚本：アーネスト・レーマン　出演者：ケイリー・グラント　エバ・マリー・セイント　ジェームズ・メイソン　上映時間：136分

「M」が教えてくれる

もっと困らせるとアイデアが浮かぶ！

いいアイデアが浮かばないんです。

そんな相談をよく受けます。アイデアとか発想って、みなさんの一番の悩みどころかもしれませんね。

相談者に話をうかがうと、まったく何も浮かばないわけではないらしいのです。こんな感じで書いてみようと、最初は浮かんで書き始めるんだそうです。でも、途中で何か面白くならないなと思ってしまって、待てよ、こっちの話のほうが面白くなるんじゃないか、と最初の話を止めてしまって、違う話で書き直し始めます。ところが、また途中で面白くならない気がしてきて、またまた違う話で書き直すんだけど、やっぱり面白くならなくて、結局、行き詰まってしまうとのことでした。

この「**こっちでダメなら、そっち、そっちでダメなら、あっち**」**方式**をやっている人、意外と多いようです。最初は別の設定で書いていたんですけど面白くならないので止めて、こっちで書いてきましたという方、結構いらっしゃいます。時には、どっちのほうが良かったですか、と尋ねられることもあります。あれこれ考えることはいいことですが、**一度書き始めたら浮気しないで、そこで面白くするのがオススメです**、と答えます。

そもそも、この「こっちでダメなら、そっち、そっちでダメなら、あっち」方式は、たまたま面白くなるものに出会わないかなと偶然に期待しているだけです。いわば神頼みと同じです。縁結びの神様ならともかく、神頼みでシナリオが面白くなるわけはありません。

もちろん、あっちこっち可能性を広げることは有効です。でも、それはシナリオを考え始めたばかりの段階です。できるだけ可能性を広げて、その中から、これで書き進めてみようと一つを選択したら脇目をふらず、そこで面白くしてみてください。面白くならないなと思ったら、**どうすれば面白くできるんだろう**と考えてみてください。面白くなるのではなく、面白くするのです。

そこで、ぜひ試して欲しいのが、**もっと主人公を困らせられないか**、を考えることです。もっと困らせよう、もっともっと困らせようとした結果、最初に考えていた題材や設定と、まったく違うものになるのは構いません。たまたま面白くならないかなあと偶然に頼っていても何の力にもなりませんが、もっと面白くしようと考えた結果なら、どうすれば面白くできるかが確実に見えてきて身についていきます。

説明セリフも、説明するシーンすらない

お手本のマエストロ映画は『M』です。

まず**冒頭の映像表現の見事さ**に釘づけになります。

子どもたちの不気味な歌に続いて、子どもの帰りを待ち食事を準備する母親と、学校から帰宅する女の子の**カットバック**（136頁～参照）になります。女の子はボールをつきながら歩いてくるとポスターにボールをぶつけ始めます。そこには幼い女の子の連続殺人事件の犯人逮捕に報奨金100万マルクが賭けられていることが書かれています。

と、ポスターに帽子をかぶった男の影が。男は女の子に優しく話しかけます。子どもが帰ってこないので心配する母親と、帽子男がエドヴァルド・グリーグ作曲の『ペール・ギュント』の一節を口笛で吹きながら女の子に風船を買ってやるシーンのカットバックになります。

母親が窓の外に向かって女の子の名を呼びます。何度も何度も。その声が無人の階段や物干し部屋に響きます。

画面が無音になります。手のつけられていない空の皿とカップとスプーン、転がってくる女の子のボール、帽子男が女の子に買った風船が電線に引っかかり風に飛ばされていきます。

「号外」「号外」という声が遠くから聞こえてきて、だんだん大きくなると号外売りが走ってきます。号外売りの人数が増えて「号外」「号外」と叫びながら走ってきます。「犯人は誰だ、犯人は」という声がすると、窓際で手紙を書いている男の後ろ姿に。男は『ペール・

ギュント』の口笛を吹いています。手紙の内容は「警察が私の最初の手紙を公表しなかったので新聞社に直接書くことにした」というものです。

説明セリフは一切ありません。それどころか殺人のシーンはもちろん、例えば警察が現場検証をしているシーンみたいな説明的なシーンさえありません。

犯人の顔も映りません。なので、この後、手紙の筆跡鑑定から犯人像が語られるセリフにかぶって鏡に向かうハンス・ベッケルト（ピーター・ローレ）の顔がワンシーンだけ映るのですが、その愚鈍とも社会を馬鹿にしているとも言えるような表情が衝撃的です。

犯人を追いつめるアイデア

そして、マエストロ映画の「**20枚**」は、**犯人が追い詰められていくところ**です。

盲目の風船売りが『ペール・ギュント』の口笛が聞こえてくるのに気づき、口笛を追おうとします。若いホームレスが声をかけてきます。風船売りが口笛を吹く男が見えるかと聞くと口笛が止みます。若いホームレスは男が女の子に話しかけ一緒に歩いていくと言います。風船売りは、犯人が被害者の女の子に風船を買った時に吹いていたのと同じ口笛だと話し、若いホームレスは男を追って走り出します。

若いホームレスは、女の子にお菓子を買っている犯人を見つけます。店から出てきた犯人を隠れて見ていると、犯人がナイフを出します。一瞬ハッとなりますが、犯人はナイフでオレンジの皮をむき始めます。

若いホームレスは自分の手にチョークで「M」と書いて「オレンジの皮を道に捨てるな」と言いながら、犯人のコートの背中に手を当て去っていきます。犯人のコートの背中には、くっきりとチョークの「M」が。

警察も、ベッケルトの部屋の窓台に新聞社への手紙を書いた痕跡と赤鉛筆の粉を見つけます。

若いホームレスは犯罪組織のボスたちに犯人を見つけMの印をつけたことを報告、ホームレスの仲間たちが入れ替わりながらMの印を追っていきます。

玩具屋に入ろうとして犯人は、女の子に「背中に白いものがついてる」と言われます。鏡でMを見つけ、さらに自分を見張っているホームレスに気づき目を見開きます。女の子を置いて逃げ出す犯人。ホームレスたちが合図で交わす口笛に怯え立ちすくみます。前からも後ろからもホームレスに迫られ、逃げ惑った挙句、とあるビルの中へと姿を消します。

これで10分弱、ほぼペラ20枚です。

何といってもチョークでMの印をつけるアイデアです。今まで隠れていた犯人が目に見えるように明らかにされることで、逃げ隠れできなくなった印象を、より強く与えます。また、Mの印に気づいた時の犯人の追いつめられた気持ちも伝わりやすくなっています。

ただ盲目の風船売りが犯人に気づいてホームレスたちが追っていくだけでもストーリーとしては十分です。そこを、**もうひとつ困らせられないか**と考えることで、**映像のアイデアが生まれ、今まで観たことがないシーン**となって観客を引きつけています。

さらに**警察だけでなく犯罪組織のボスたちも犯人を追いかけます。警察だけでも十分困らせられるのですが、もっともっと犯人を困らせるアイデア**になっています。

ここからは完全にネタバレになってしまいますが、犯人は犯罪組織のボスたちに捕まり倒産した蒸留所の廃墟に連れて行かれます。そこには犯罪者や多勢の市民たちが集まっていて、いわば人民裁判にかけられるのです。

犯罪組織のボスに「お前には死んでもらう」と言われ犯人は「僕を殺す権利はない」と叫びますが、集まった群衆の笑い声を浴びます。「警察への引き渡しを要求する」また笑い声。「本物の法廷で裁かれることを要求する」また笑い声。何とも胸がヒリヒリするほどの追いつめられ方です。

「殺せ！」「処刑だ！」と叫んでいた市民たちが犯人に向かって駆け寄ってきますが……という最後の最後まで、どうする？　どうなる？と引きこまれ、目が離せないシーンになっています。

◆『M』 1931年ドイツ映画　監督：フリッツ・ラング　脚本：テア・フォン・ハルボウ　フリッツ・ラング　出演者：ピーター・ローレ　オットー・ベルニッケ　グスタフ・グリュントゲンス　上映時間：117分（オリジナル版）

『汚れた顔の天使』が教えてくれる

最後の最後まで困らせれば盛り上がる！

話をまとめようとしていませんか？


話をまとめようとすると、こうなって、ああなって、こうなりました、と起こったことを報告していくように描いてしまいがちです。これでは観客や視聴者は引きこまれません。しょせんは他人事ですから。

特に映像は小説と違って主人公や登場人物は俳優さんが演じるので自分とは違う人の話であることが明白になります。他人の結婚式のビデオを見せられているようなものです。ケーキ入刀がありました、友人のスピーチがありました、みたいな感じでしょうか。そんなの勘弁してほしいですよね。

いやいや、まったく見ず知らずの人の結婚式のビデオでも、入刀しようとしたウェディングケーキが倒れ掛かってきて、新郎が必死で支えようとしてるけど、今度はケーキにひびが入って崩れかけてきてとなると、どうする？　どうなる？と引き込まれませんか？


このように主人公を困らせてみてください。特に後半からクライマックスにかけて、話をまとめようとして主人公にとって都合のいいことばかりで、**困らせ方がトーンダウンしていないかチェックしてください。**

そして、**最後の最後まで、とことん主人公を困らせてください。**

『汚れた顔の天使』主人公のキャラクター

マエストロ映画は『汚れた顔の天使』です。

ジェームズ・ギャグニー演じる主人公・ロッキーは、新聞の一面を飾るほど有名なギャングです。パット・オブライエン演じる幼馴染のジェリーと15年ぶりに再会し、旧交を温めます。しかし、今は神父になっているジェリーは、ロッキーを尊敬しギャングに憧れる地元の少年たちのために、ロッキーと暗黒街の不正を告発し……というストーリー。

悪徳弁護士役でハンフリー・ボガードが出演しており、この作品から4年後、同じマイケル・カーティス監督による『カサブランカ』が大ヒットします。

不良少年時代のロッキーとジェリーが貨物列車に積みこまれた万年筆を盗むエピソードで始まります。貨物列車の鍵を壊して潜りこむと、扉が開いているのに気づいた見張りの男が来て「出て来い！」と。しかし、二人は積荷の陰に隠れて出て行きません。さらに警官も呼ばれてしまいます。「もう逃げられんぞ！」という警官を強引に飛び越えて二人は逃走します。

これがロッキーのキャラクターです。ごめんなさいと言って自ら頭を下げ出てくることはしません。何としてでも逃げようとします。プライドが高いというか、負けず嫌いというか、決して自分から屈しようとしません。

後半、悪徳弁護士と暗黒街のボスを銃殺したことから警察と銃撃戦になるところも同じです。周囲を取り囲まれて逃げ場はなく、催涙ガスでボロボロになり拳銃の弾丸もなくなります。そこへジェリーがやって来て「自首しか助かる道はない」と説得します。一度は応じたかに見えたのですが、ジェリーに拳銃を突きつけて手を上げさせ、警官たちを下がらせます。そして、ジェリーを突き飛ばすと逃走しようとするのです。結局、足を撃たれて捕まってしまうのですが、拳銃に弾丸がなかったことに警官が気づくと「バカな奴らだ」と言って笑うのです。

ロッキーには、もう一つの顔があります。不良少年時代、万年筆泥棒がばれて逃走した時、先に走っていたジェリーが線路で躓き転びます。そこに汽車が。ロッキーが戻って助け起こし間一髪で轢かれずにすみます。ところが足の速いジェリーが塀を飛び越えたところで後から走ってきたロッキーは捕まってしまいます。逃げ延びたジェリーが面会に来て「自分も自首する」と言います。そうすれば罪が軽くなると。しかし、ロッキーは「お前のほうが速く走っただけのことだ」と言って自首させません。

印象的なのは有名ギャングになったロッキーが15年ぶりに地元に帰ってきて、少年時代に知り合いだった女性と再会するシーンです。女性はロッキーだと分かると頰を平手打ちし、帽子を深く押しこみます。かつてロッキーにやられたことを、そのまま仕返ししたのです。ロッキーは楽しそうに笑います。笑いながらベッドに座るとベッドが壊れてドスンと落ちます。それでも楽しそうにしています。

そのまま地元に住みついたロッキーは不良少年たちと仲良くなり、まるで少年時代に戻ったかのような笑顔を見せます。一方、バスケットボールの試合で少年たちが反則を繰り返すのを見て、ジェリーに代わって審判として入り、少年たちを叩いたり蹴ったりしながらも反則をしないように導いていくのです。

死刑執行10分前

さて後半、ジェリーがロッキーはじめ暗黒街の不正を追及したことから、悪徳弁護士と暗黒街のボスはジェリーとロッキーを始末しようとします。ロッキーは悪徳弁護士とボスを撃ち警察と銃撃戦の末に捕まって裁判で死刑を宣告されます。

クライマックスは、死刑執行まであと10分、ジェリーが訪ねてきて頼むところです。毅然と死を怖れず電気椅子に座るのではなく、泣きわめいて臆病者として死んでくれと。少年たちに軽蔑されてくれと。

ここで注目してほしいのは、ジェリーによって追及されていた不正が暴かれたのかどうかは、まったく描かれていないことです。そこは省略して、最後の最後まで主人公を困らせ、どうする？　どうなる？と引きこんでいるのです。

マエストロ映画の「**20枚**」は、この死刑執行10分前にジェリーが訪ねてくるところからラストまで。

ジェリーが死刑を待つロッキーを訪ねます。「あと10分です」と言われて牢の中に入っていきます。

そして、頼みを聞いてくれと切り出します。「怖がれ。最後の瞬間、泣きわめいてくれ。臆病者になれ」「これは本物の勇気だ。天国で生まれる勇気だ。英雄的な勇気とは違う。君と私と神だけが知る勇気だ」「（少年たちの）期待を裏切ってくれ」「君を軽蔑させたい」と説得します。

しかし、ロッキーは「俺の最後の誇りを捨てろと」「人生の最後という時に何てことを頼むんだ」「それは無理だ」と断ります。

「時間だ」と係官や看守たちがやってきてロッキーは

ロッキー（左、ジェームズ・ギャグニー）と
ジェリー（右、パット・オブライエン）
1939年　出典：ウィキメディア・コモンズ

牢を出ます。自分から先に歩いていきます。ただ無言で廊下を歩きます。

処刑室に入る時、ジェリーが「頼む」とひと言だけ言うと、ロッキーは「嫌だ」と答えます。

立会人たちが注視する中、ロッキーは電気椅子に向かって行きます。電気椅子は映りません。ロッキーの顔のアップです。不敵な笑みを浮かべているようにも見えます。

ジェリーが聖書を開いて目を落とすと「やめてくれ」というロッキーの声が。「死にたくないよ」と泣きながら訴え始めます。ロッキーの姿は映っていません。壁のシルエットが看守と揉み合っています。「頼むから殺さないでくれ」見つめるジェリーの顔やヒーターのようなものを掴んで抵抗する手が映ります。「殺すな！」と同時にスイッチが入れられます。

ジェリーの目から一滴の涙が流れます。

翌日の新聞の一面に「ロッキー、臆病者の最期」という見出しがあります。少年たちが記事を読み落胆しています。「こんなの信じるか」「全部ウソだ」そこへジェリーが。「教えてください。本当に臆病者だったのか」「書かれていることがすべてだ。臆病者だった」とジェリーが答えます。そして「行こう、私ほど速く走れなかった男のために祈ろう」と少年たちを連れて行きます。

これで9分ほどです。どうする？　どうなる？と、とにかくグイグイ引きこまれて目を離すことができません。ぜひぜひマエストロ映画『汚れた顔の天使』のクライマックスを参考に、話をまとめようとせず最後の最後まで主人公を困らせてください。

◆**『汚れた顔の天使』**　1938年アメリカ映画（日本公開1939年）　監督：マイケル・カーティス　脚本：ジョン・ウェクスリー　ウォーレン・ダフ（アンクレジット：ベン・ヘクト　チャールズ・マッカーサー）　原案：ローランド・ブラウン　出演者：ジェームズ・キャグニー　パット・オブライエン　上映時間：97分

『天井桟敷の人々』が教えてくれる
話をまとめないほうが最後まで面白くなる！

構成って難しい！　そんな声を、よく聞きます。

どうして難しいと感じるのでしょう？　一番の理由は、なかなか面白くならないからです。ああでもない、こうでもないと一生懸命考えたのに面白くならない。こうかな、ああかなと試行錯誤してやってみるけど面白くならない。ちょっとは面白くなることもあるけど、でも、ちょっとだけ……。う～ん、構成って難しいなあとなってしまうわけですね。

ところが、実は構成が難しいわけではありません。**面白くならないのは勘違いしているから**です。**一番大きな勘違いは起承転結の〈転〉がストーリーをまとめるところ**だと思っていることです。

話をまとめようとすると、主人公にとって都合のいいエピソードばかりになってしまいます。たとえばラブストーリーで二人が結ばれる話だとしたら、二人が結ばれるように結ばれるようにしてしまうわけですね。もちろん愛の告白があったり、キスシーンがあったり、二人が愛し合うエピソードも心ときめかせるわけですが、ケンカしたり、ライバルが現れたりするからこそ盛り上がります。

〈転〉で話をまとめようとする勘違いは、ほかにも悪影響を及ぼします。話がまとまらなくなるんじゃないかと怖れて主人公の困らせ方が中途半端になってしまったりします。

たとえばラブストーリーの二人がケンカする時に、あまり激しくなり過ぎてしまったら二人は結ばれなくなるんじゃないかと、つい手を緩めてしまうのです。それでは観客や視聴者は、たぶん仲直りするんだろうなあ、みたいな感じで高をくくってしまいます。こんなケンカをしてしまったら二人は結ばれないんじゃないかと思わせるぐらいのケンカだからこそ、一体どうなるんだろうと引きこまれます。そのあと仲直りして、おずおずと手を伸ばし重ね合わせたりしたら、ドキドキは倍増するわけです。

作者自身も一体どうなってしまうのか分からないぐらいの発想こそ、今まで観たことがないシナリオを生み出します。そのためには〈転〉で話をまとめようとしないでください。

『天井桟敷の人々』の〈起〉〈承〉

マエストロ映画『**天井桟敷の人々**』をみていきましょう。

何ものにも縛られない美しき女性ガランス（アルレッティ）に翻弄される主人公のパントマイム俳優バティスト（ジャン＝ルイ・パロー）やシェークスピア俳優フレデリック（ピエール・ブラッスール）、犯罪者ラスネール（マルセル・エラン）の恋模様が、**第1部『犯罪大通り』と第2部『白い男』**の2幕構成で描かれています。

第1部『犯罪大通り』では、ガランスを見かけたフレデリックが声をかけてきます。口から先に生まれてきたようなフレデリックですが、ガランスもひるまず「愛し合う者同士にはパリは狭いわ」と言い残し去っていきます。フラれるフレデリック。でも、すぐに別の女性に声をかけます。

ガランスは、ある紳士の懐中時計を盗んだと嫌疑をかけられます。実は盗んだのはガランスの隣にいたラスネールなのですが、それを目撃していたのがバティストです。バティストは巧みなパントマイムで一部始終を再現し、ガランスを助けます。ガランスに一目惚れすると同時に、その場にいた人たちの大笑いと拍手を受け、これをきっかけにバティストはパントマイム俳優として開花し始めます。

ニセ盲目の男に連れて行かれた場末の飲み屋で、バティストはガランスと再会します。部屋で二人きりになりますが、あまりに純粋で内気なバティストは、いたたまれず部屋から出て行ってしまいます。

隣の部屋にいたのがフレデリックです。フレデリックは取り残されたガランスの部屋へ。その日から二人は一緒に暮らし始めます。

それでもバティストはガランスへの想いを募らせていきます。ガランスも実はバティストに心魅かれているのですが、そんな時、大富豪のモントレー伯爵がガランスを見初めプロポーズします。ガランスは断りますが、ラスネールの起こした強盗殺人事件の共犯にされそうになったことからモントレー伯爵を頼ります。

第2部『白い男』は6年後、フレデリックは俳優として成功しつつも女遊びをし、借金取りに追われ浮わついた生活をしています。

一方、バティストは座長の娘ナタリーと結婚し、男の子の父親となっています。パントマイム劇も大評判です。その劇場に毎晩お忍びで足を運ぶ女性客がいます。伯爵夫人となったガランスです。

バティストのパントマイムを観に来たフレデリックはガランスと再会、ガランスが来ていることをバティストに知らせますが、バティストが駆けつけたときはガランスの姿はありませんでした。

しかし、フレデリックが演じる『オセロ』の初日、バティストとガランスは再会します。劇場のバルコニーで変わらぬ愛を語り合いキスします。

一方、ガランスをめぐる揉め事からモントレー伯爵は、ラスネールを劇場ロビーから追い出そうとし、フレデリックに決闘を申し渡します。

バティストとガランスは初めて二人きりになった部屋へ行き、一夜を過ごします。

〈転〉ではなにも決着していない

いよいよ〈転〉です。

映画のワンシーン
1945年　出典：ウィキメディア・コモンズ

マエストロ映画の「**20枚**」も、ここからです。

『オセロ』初日の翌日は謝肉祭で、犯罪大通りはパレードや踊っている人や見物客でごった返しています。ラスネールは公衆の面前で受けた侮辱を晴らそうと浴場にモントレー伯爵を訪ねます。ラスネールが現れ身構えるモントレー伯爵にゆっくり近づくと無言で刺殺します。謝肉祭の賑やかな音楽が聞こえています。

ガランスはモントレー伯爵の元に戻ると言います。「私が悪かった」と謝ってフレデリックとの決闘をやめさせると。バティストは「行かないでくれ。悲しすぎる」と引きとめガランスを抱きしめます。

そこにナタリーが現れます。ガランスが出て行こうとすると「ダメよ」とドアを閉め立ちふさがります。「あなたは気楽ね」「突然消えたり戻ったり。いなくなれば懐かしがられるし、戻ってくれば想い出に彩られる」「でも私は同じ街で一人の人と、ささやかな毎日を分かち合って生きてるの。奪い取れると思う？ 私は彼と6年暮らしてきた」

ガランスは「私もよ」と答えます。「どんな街にいようと誰の隣で眠ろうと忘れたことはない。彼と一緒だった」と。

ナタリーはバティストに「ずっと彼女を想ってたの？」と詰め寄ります。バティストは答えられません。

ガランスが部屋を出て行きます。「ガランス！」追おうとするバティストにナタリーは「答えて！　ずっと彼女を想ってたの？」とすがります。バティストはナタリーを振り切り「ガランス！」と部屋を出て行きます。

謝肉祭で沸き返る人ごみに揉まれながらバティストはガランスを追おうとします。しかし、見失ってしまいます。ガランスは馬車に乗って去っていくのですが、バティストは「ガランス！」と何度も叫びながら姿を探します。しかし、ただただ揉みくちゃにされるばかりです。それでも「ガランス！」と叫び探し続けるのです。

いかがですか？　**モントレー伯爵は殺されましたが、ガランスと主人公バティスト、フレデリック、ラスネールの関係は何も決着していません。**むしろ、結ばれたかに思えたガランスとバティストを再び引き離しています。話をまとめようとせず最後の最後まで主人公を困らせているのです。

◆**『天井桟敷の人々』**　１９４５年フランス映画（日本公開１９５２年）　監督：マルセル・カルネ　脚本：ジャック・プレヴェール　出演者：アルレッティ　ジャン＝ルイ・バロー
上映時間：１９０分

錬金術の極意3

第3章

主人公に登場人物をぶつけて困らせる

『グランド・ホテル』が教えてくれる
人物と人物をぶつければドラマが生まれる！

この先どうなるんだろう？と期待感を抱かせるには、今までにない新鮮さが必要です。

では、どうすれば今までにない新鮮な展開を生み出しやすくなるのでしょうか。

それは**人物と人物をぶつけていく**ことです。

人物と人物をぶつけて化学反応を起こすという言い方をしますが、分かりやすくいうと、ストーリーに人物をはめこむのではなく、人物と人物をぶつけることで、思ってもみない方向へ人物が動き出すようにすることです。するとまったく違う状況や人物関係が生まれたりもします。**予想外の展開**になって、この先どうなるんだろう？と期待感が高まるわけです。

出会いが新たな人間関係を作る

ここで取り上げるマエストロ映画は『**グランド・ホテル**』です。

主な登場人物は5人。ガイゲルン男爵（ジョン・バリモア）は賭博で借金を負い、ホテル専門の泥棒になっています。バレリーナのグルシンスカヤ（グレタ・ガルボ）は過去の栄光を引きずって、ホテルの部屋と劇場を往復するだけの生活を送っています。元経理のクリンゲライン（ライオネル・バリモア）は医者に余命宣告され、貯えた金で残りの人生を謳歌しようとしています。会社経営者のプライシング（ウォレス・ビアリー）は倒産の危機を乗り越えるため合併を交渉中です。そのプライシングに雇われた美人速記者がフレムヘン（ジョーン・クロフォード）です。

この5人がベルリンの超一流ホテル「グランド・ホテル」で偶然出会ったことで、それぞれ思わぬ方向に動き始めるのです。

まず、男爵とバレリーナが出会うことで大きな変化をもたらします。男爵は当初、バレリーナの持つ宝石を狙っていたのですが、盗みに入った部屋にバレリーナが戻ってきて隠れます。しかし、バレリーナの自殺しそうな様子に思わず姿を現してしまいます。男爵は自分が泥棒であることを打ち明け盗んだ宝石を返します。二人は恋に落ち、バレリーナの次の公演があるウィーンに一緒に旅立つことを約束します。

そのためには男爵は、ウィーンに出発する時刻までに借金を返さなければならなくなり金策に動き始めます。

「グランド・ホテル形式」

一方、バレリーナは、これまでの鬱々とした日々が一変し、舞台でも大成功を収めるようになります。

もう一つ、経営者と美人速記者の出会いが新たな人物関係を呼び起こします。合併話が決裂しそうになって思わず嘘をついてしまった経営者は、仕事漬けの毎日から解放されたいと思い、美人速記者と一夜を過ごすという欲望に向かって動き始めます。

そして、ホテルのダンスホールで男爵、美人速記者、元経理、経営者がぶつかり合うシーンになります。男爵は美人速記者に元経理とダンスを踊ってやってくれと頼みます。美人速記者も応じるのですが、そこへ経営者が来て美人速記者の奪い合いになってしまい、経営者と男爵に対立関係が生まれます。そのことから経営者は男爵に敵対心を抱くようになるのです。

結局、経営者は金の力で美人速記者を口説き落とします。

男爵は借金返済のために元経理の協力を得てホテルの部屋でカード賭博を開きますが、負けてしまいます。ベロベロに酔っ払った元経理が落とした財布を拾い、一度は懐に入れますが、あの金が私のすべてだと必死に探し回る元経理の姿に、財布を見つけたふりをして返してしまいます。

元経理の部屋を出た男爵は、廊下にいた美人速記者から経営者とホテルの部屋で密会することを聞きます。その密会の部屋に男爵は忍びこみ経営者の財布を盗もうとします。ところが経営者に見つかってしまいます。経営者の男爵に対する敵対心から激しく何度も殴られて男爵は殺されてしまうのです。

男爵が殺された後も、元経理と美人速記者が心を通

ポスター　1932 年　出典：ウィキメディア・コモンズ

わせ一緒に旅をすることになり、パリ行きの始発に乗るためホテルを去る、という思いがけない展開があったり、もし男爵の死をバレリーナが知ったら、どうなるんだろう?とハラハラさせながら、結局、男爵の死を知らないままウィーン行きの列車に向かうことで、最後の最後まで、この先どうなるんだろう?と思わせています。

「20枚」を組み合わせて長編に

ここでのマエストロ映画の「**20枚**」は、ダンスホールで元経理、美人速記者、男爵、経営者がぶつかり合うシーンです。

この映画はグランド・ホテル形式と呼ばれる群像劇になっていて、主な登場人物5人のドラマが、ほぼ等分に描かれていますが、20枚シナリオでは真似しないでください。たとえば20枚で5人だと1人4枚です。4枚では、しっかりドラマを描くことはできません。**20枚では、あくまでも1人のドラマを描いてください。**

このダンスホールのシーンも**元経理のドラマ**が中心に描かれています。

元経理のところに美人速記者が来て談笑していると、男爵が現れます。男爵と美人速記者はダンスに。そして、男爵が美人速記者に「元経理と踊ってやってくれ」と頼みます。「あなたの頼みなら」と元経理のところへ向かうと、経営者が「大事な話がある」と割りこんできますが、男爵が追い払います。

美人速記者が元経理をダンスに誘いホールに向かおうとすると、また経営者が割りこんできます。経営者は実は元経理の雇い主で高圧的に美人速記者と元経理を引き離そうとしますが、男爵が現れ、美人速記者と元経理をダンスにうながします。男爵は経営者と軽く口論となります。

美人速記者と踊りながら元経理は「人生で初めて幸せを感じています」と。

ところがカウンターに戻ると、またまた経営者が美人速記者に話しかけてきて、元経理に「離れていろ」と命令します。元経理は、「あなたの命令には従わない」と言い、激しい口論になります。「私を誰だと？ゴミとでも思っているのか。私がゴミなら、あんたは、それ以下だ！」と思いのたけを経営者にぶちまけ、取っ組み合いになりそうなところを周りの男たちに止められ、男爵が助けに来て経営者は去っていきます。これで、ほぼ10分です。

もし群像劇を書きたいなら、まず、このような一人のドラマを20枚で描きます。群像劇の人物それぞれのドラマが描かれた20枚を組み合わせて長編にするなら可能性はあります。ただし**群像劇**は、人物が切り替わっても**感情移入が途切れないようにするだけのキャラクターとドラマが、それぞれの人物に不可欠**なことは忘れないでくださいね。

◆『**グランド・ホテル**』１９３２年アメリカ映画（日本公開１９３３年）監督：エドマンド・グールディング　脚本：ウィリアム・Ａ・ドレイク　原作：ヴィッキイ・バウム『ホテルの人びと』出演者：グレタ・ガルボ　ジョン・バリモア　ジョーン・クロフォード　上映時間：１１２分

『浮雲』が教えてくれる
「困ったちゃん」が主人公を動かす!

主人公を困らせる、とっておきの方法があります。**つねに主人公を困らせる人物を設定する**のです。この人物が、どんなことをすれば主人公が困るかな？　この人物が、どんなことを言えば主人公が困るかな？と考えればいいのです。何を考えればいいかがより具体的になるので、アイデアが浮びやすくなります。この、つねに主人公を困らせる人物を**「困ったちゃん」と命名**してみました。

注意してほしいのは、ついつい「困ったちゃん」が主人公を困らせるのが面白くなってしまい、ただ主人公が困らせられているだけで動かなくなってしまうことです。主人公を困らせるのも、そのために「困ったちゃん」を設定するのも、あくまでも主人公が動くようにするためです。主人公が「困ったちゃん」に困らせられたら、どうリアクションし行動するかを考えて、主人公を描くことを忘れないようにしてください。

『浮雲』の「困ったちゃん」

お手本のマエストロ映画は『浮雲』です。

主人公・幸田ゆき子（高峰秀子）の「困ったちゃん」は、富岡兼吾（森雅之）です。

南方からの引揚げ船から降りてきた主人公が、東京にある富岡の家を訪ねるところから始まります。そこには富岡の母親と妻もいます。戦時中にベトナムで富岡と出会って恋人関係になり、敗戦後、「妻と別れて主人公を迎える」という富岡の約束を頼りに帰国した主人公ですが、「戦時中を耐え通して自分を待っていてくれた者に、ひどい別れ方はできなくなった」と富岡に言われてしまいます。

行く宛てを失った主人公は、雨漏りのする物置を借りて住み始めます。職を探しますがうまくいきません。偶然知り合った進駐軍のアメリカ兵の愛人になります。

それなりに生活できるようになった主人公の物置部屋に富岡が訪ねてきます。二人で話しているとノックの音がします。アメリカ兵です。しかし、主人公はアメリカ兵をうまく帰して、カストリ（酒）など買って来たりしますが、結局、富岡の身勝手さを責めてしまい、富岡は出て行ってしまいます。

それでも二人は別れられません。ふらりと伊香保温泉へ旅行に行きます。商売に行き詰っている富岡は主人公と「心中するつもりで来た」などと言いますが、本心かどうかは分かりません。ズルズルと滞在するうち富岡は、バーの主人の若妻とデキてしまいます。

しかも、東京へ帰った主人公が富岡の家を訪ねると引っ越した後で、転居先を探すと富岡は若妻と同棲しているのです。主人公は、もう踏ん切りがついたと「子どもは自分で始末するわ」と言い捨てて帰ろうとします。主人公は妊娠して富岡に会いに来たのです。

マエストロ映画の「**20枚**」は、この後です。

主人公は富岡に喫茶店へ連れて行かれ「子どもは、その日からでも僕が引き取るから産んでくれよ。今まで僕には子どもが一人もないんで、どうしても産んでほしいと思うんだ」と説得されます。

二人で並んで歩きながら主人公は「奥さんは胸が悪いの？」「これから、あなたも大変ね。お勤め決まったんですって？」「くたびれているんでしょう？」など富岡を思いやり「でも、やっぱり二人で歩いていると何だか肉親みたいね。そう思うのは私の勝手ね」などと心を許していきます。

そして、富岡に「今度の日曜日にでも尋ねていく。子どもの話は、それまで待ってほしいな」と言われます。

ところが次のシーンでは主人公が「大日向教会」というインチキ新興宗教を訪ねていきます。親戚の男が

『浮雲』のポスター　1955年　東宝株式会社
出典：ウィキメディア・コモンズ

教祖をしていて金を都合してもらいに行ったのです。「捨てられたのか?」「負けたわ。ぼんやり待ってたのが馬鹿だったのよ」というやりとりで、どうやら富岡が訪ねてこなかったことが分かります。

親戚に渡された金で主人公は産婦人科で手術を受けます。気分が悪くなってベッドに寝かされると隣で寝ている女の新聞が目に入ります。そこに伊香保のバーの主人と若妻の写真があり「女給殺しの夫、自首す。情夫富岡は、もと農林事務官」の見出しに衝撃を受けます。

つねに主人公の行動を描く

これで、ほぼ20枚ぐらいです。

特に、この20枚でぜひとも参考にしてほしいのが、富岡は訪ねていくという約束を破ったり、同棲している若妻が夫に殺されるという事件を起こしたりと「困ったちゃん」ぶりを発揮し主人公を翻弄するわけですが、**あえて富岡を描かず**、**つねに主人公の行動を描いていること**です。

この後、事件を知った主人公は心配して、若妻と同棲していた部屋に住み続ける富岡を訪ねます。しかし「君は、いい気味だと思っているんだろう。頼むから僕を一人にしておいてくれないか」と冷ややかに言われ、虚しく富岡の元を去っていきます。そして、新興宗教の教祖をやっている親戚の男の愛人になってしまいます。

そんな主人公を、またまた富岡が訪ねてきます。病弱だった富岡の妻が亡くなり葬式代を都合してもらいに来たのです。その日は、そのまま別れたものの、富岡と会ったことがきっかけとなり、主人公は新興宗教の金を持ち逃げします。富岡の部屋を訪ねますが妻の葬式から戻っておらず、長岡温泉に逃亡し旅館から電報を打って富岡を呼び寄せます。

ところが富岡は、何もかも新しく出直そうと屋久島の営林署で働くことになったと主人公に告げるのです。翌朝、東京に戻る富岡に主人公はついて行きます。さらに富岡の部屋に新興宗教の教祖の男が主人公を探しに来たと隣人に聞かされ、その日のうちに二人は夜行列車で九州へ向かいます。

鹿児島で主人公は病に倒れてしまいます。鹿児島で入院するなりして、ゆっくり後から来ればいいと富岡に勧められますが、すがりつくように富岡と一緒に船に乗り屋久島へ渡ります。しかし、病状は、どんどん悪化し……。

あまりにも切なく哀しいクライマックスへと向かっていきます。

前半には、後に新興宗教の教祖となる親戚の男（そもそも主人公が単身ベトナムに渡ったのも、この男が原因でした）に困らせられたり、タイピストの職に応募して断られるシーンもありますが、**とにかく全編にわたって主人公を困らせているのは富岡**です。まず困らせ、次々に困らせ、もっと困らせ、さらに困らせ、**とことん困らせて主人公を動かして**います。

繰り返しになりますが、あくまで主人公を動かし、主人公を追いかけて描くことがメインであることを、くれぐれも忘れないようにしてください。

◆『浮雲』１９５５年日本映画　監督：成瀬巳喜男　脚本：水木洋子　原作：林芙美子　出演者：高峰秀子　森雅之　上映時間：１２４分

『哀愁』が教えてくれる
「いい人」でも主人公を困らせられる！

「いい人」ばかり出てきて面白くない、と言われたことはありませんか？

確かに、悪役が活躍すると俄然、面白くなります。

片平なぎささんが演じた『スチュワーデス物語』の両手義手の真理子や、佐野史郎さんが演じた『ずっとあなたが好きだった』の冬彦さんなんて思い出すだけでもニヤニヤしてしまいます。『羊たちの沈黙』は何度となく観ていますが、レクター博士（アンソニー・ホプキンス）の登場シーンになると毎回毎回、胸がドキドキしますし、見飽きるどころか観れば観るほど引きこまれてしまいます。こんな悪役が描けたら楽しいだろうなと思いますよね。

そんなこと言ったって悪役が書けないんです、という方は多いです。気をつけていただきたいのは**苦手なのは悪役だけですか？**ということです。悪役を描こうとすると、冬彦さんやレクター博士ほどではないにしろ、キャラクターを際立たせる必要があります。たとえば、ちょっとぐらいヤキモチ焼きでは悪役になりません。度を越して嫉妬深すぎるとキャラクターを際立たせることで悪役になっていきます（1章36頁も参照）。

悪役を書けない原因がキャラクターを際立たせるのが苦手な場合、実は悪役だけでなく**登場人物のキャラクターを際立たせていない**可能性が高いのです。

登場人物のキャラクターを一言で言ってみてください。特に性格です。**～すぎる性格**と考えてください。キャラクターが際立ってきて登場人物を生き生きと描けます。もっともっと際立たせていくと悪役が描けるようになっていきます（1章26頁も参照）。

いやいや、そもそも悪役なんて書きたくない、「悪い人」が出てこないシナリオを書きたいんです、という方もいらっしゃるかもしれませんが、できればキャラクターを際立たせることで悪役にすることにもチャレンジしてください。キャラクターを際立たせることができれば、それを抑えて描くことは、いくらでもできます。最初からキャラクターを際立たせることができないのとでは雲泥の差です。

というのが大前提なんですが、とはいえ登場人物に「悪い人」が出てこないのに面白い映画やドラマだって、たくさんあります。ということは、「いい人」ばかり出ているから面白くない、というわけではないようです。「いい人」ばかり出てきて面白くないシナリオと、「いい人」ばかりで「悪い人」が出てこないのに面白いシナリオ、どこが違うのでしょう？

ズバリ、主人公を困らせているかどうかです。

「いい人」ばかり出ているから面白くないわけではないのです。**「いい人」ばかりで主人公を困らせていないから面白くない**のです。「いい人」でも主人公を困らせれば面白くなります。「いい人」が、主人公にとって都合のいい人、さらには作者自身にとって都合のいい人ばかりになっていないか、ご注意ください。

悲恋『哀愁』の困らせ方

マエストロ映画の『哀愁』で考えてみましょう。

ロンドンのウォータールー橋で出会ったバレリーナとイギリス軍青年将校のラブストーリー、しかも演じるのはヴィヴィアン・リーとロバート・テイラーという美男美女、となると甘～いラブロマンスを想像してしまいますが、そうではなく戦争によってすれ違ってしまう悲恋が描かれています。

悪役らしい登場人物といえばバレエ団の先生キロワ女史ぐらいでしょうか。

二人が出会った日の夜、将校のロイは上官との食事の予定があり、翌日にはフランスへ赴くはずでした。二度と逢うことはない二人だったのです。しかし、ロイは上官との食事をキャンセルしてバレリーナのマイラの舞台を観に行き、手紙を書いて食事に誘います。その手紙を目ざとく見つけたのがキロワ女史です。「バレエ団に入っている限り交際は認めない」と無理やりマイラに断りの手紙を書かせるのです。ロイは諦めて帰りかけますが、マイラの友人キティの計らいでマイラとロイはキャンドルライトクラブへ。キャンドルが消されていく中、ダンスを踊りながら二人はキスを交わします。

翌朝、ロイの出発が2日延長されることになり、ロイはマイラに結婚を申し込みます。マイラを連れて上官で公爵のロイの叔父を訪ね、結婚の許しを得、教会へ。しかし、午後3時以降は結婚できないという法律のため、結婚式は翌日に持ち越されます。さらに急遽、ロイが戦地へ出発することになります。マイラはウォータールー駅にロイを見送りに行き舞台に遅刻してしまいます。キロワ女史はマイラに解雇を言い渡します。それに憤慨して不満をぶつけてきたキティもクビにします。

マイラとキティは一緒に暮らし始めますが、なかなか仕事が見つかりません。そんな時、ロイの母親がマイラに会いに来ることになります。待ち合わせたカフェでマイラは新聞の戦死者名簿にロイの名を見つけ気を失ってしまいます。

日本公開時のポスター
1949年　出典：ウィキメディア・コモンズ

ショックで体調を崩したマイラの看病と生活費を稼ぐためキティは娼婦に。そのことを知ったマイラも娼婦になります。

ここまでは、たとえば、結婚式ができなかったり、急にロイが戦地に発つことになったり、バレエ団をクビになったり、ロイの戦死を知らされたりと**主人公にとって良くないことが起きて困らせています。**

このあとは、ちょっと違います。

娼婦としてウォータールー駅に立っていたマイラの前にロイが現れます。戦死は誤報で生きて帰還したのです。ロイは「今度こそ本当に結婚しよう、翌朝の汽車でスコットランドに帰郷し母親に会いに行こう」と言います。

これは主人公にとって悪いことではありません。むしろ嬉しいことです。**でも困ります。**

マイラは娼婦であることを打ち明けようとして打ち明けられず、不安なままロイの生家へ行き、母親に歓迎されます。

その夜、近所の人が押し寄せ、お披露目のダンスパーティーが開かれます。バレエの踊り子だったマイラに好意的な者、厳しい目を向けるものさまざまです。そこへ公爵である叔父が現れるところからが、マエストロ映画の「**20枚**」です。

周りが「いい人」だからこそ主人公は困る

公爵は軽口でマイラを笑わせ踊りに誘います。マイラとにこやかに踊って見せることで、マイラを認め受け入れることを来客たちに示すのです。

踊り終わってマイラは公爵に感謝の言葉を伝えます。

公爵は答えます。「ここの連中は親切で気のいい人たちだ。だが考えが古くて自分たちの世界で生きている」「だから踊り子を違う世界のものだと思っている」「だがロイは本能的に見抜いた。私もだ」「紋章を汚すことはないと」。そう言って、袖にある折れた槍の紋章を指差します。「その確信があるから迎え入れたんだ」

公爵、いい人です。むちゃくちゃ、いい人です。そして、ロイの叔父である公爵に認められ受け入れられることは主人公にとって、ものすごく嬉しいことです。でも、困らせられています。叔父が認めてくれれば認めてくれるほど、マイラの後ろめたさが募ります。

そのあとマイラはロイと踊りますが、ロイの袖にもある折れた槍の紋章を見つめ目を逸らします。

さらにパーティーの後、どうすればいいか思い悩んでいるマイラの部屋に、ロイの母親が訪ねてきます。ロンドンに会いに行った時、マイラがロイの戦死の新聞記事を見てショックを受けたのではないかと、翌日になって電報でロイの戦死を知らされ初めて気づいたのだと話し「気づいてあげられたら……あなたを捜そうとしたけどだめだった。これからそれを償いたいの」と優しく肩を抱いて頬にキスし「おやすみなさい」と出ていきます。

母親も、「いい人」です。でも主人公は、ますます困ります。

ついに「お母様!」と声を上げ母親を追うマイラ。マイラの言葉から母親はマイラが娼婦だったことを悟ります。ショックを受けながらも母親は「私にも責任はあります。理解できず世話もしてやれなかった」と。それでもマイラは明朝ここを出て行くことを告げ去っていきます。

ここまでで約10分、およそ20枚です。

そして、このあと悲劇的なクライマックスへ続いていきます。ぜひ、「いい人」が主人公を困らせる参考にしてみてください。

◆『哀愁』1940年アメリカ映画(日本公開1949年)
監督:マーヴィン・ルロイ　脚本:S・N・バーマン　ハンス・ラモー　ジョージ・フローシェル　原作:ロバート・E・シャーウッド　出演者:ヴィヴィアン・リー　ロバート・テイラー　上映時間:108分

『安城家の舞踏会』が教えてくれる

化学反応が起きれば面白くなる！

化学反応が起きるという言葉を聞いたことがありますか？

登場人物と登場人物がぶつかることで、これまでとは違う行動や状況が生まれ、思ってもみなかった展開になることを言います。

作者にとって思ってもみなかった展開になるわけですから、観客や視聴者にとっても予想できない意外性のある展開になりやすいのです。予想できなければできないほど観客や視聴者は、どうするんだろう？　どうなるんだろう？と引きこまれます。

「化学反応」によって生まれた展開は、観客や視聴者の予想を裏切りつつも、へえ、そうなるのかと受け入れやすいものになります。人物同士がぶつかることで、それぞれのキャラクターならではのリアクションが引き出されるからです。このキャラクターなら、こんなことをするだろうな、こんなことを言うだろうなと納得できるのです。

なので、化学反応を起こすには、まずキャラクターです。登場人物それぞれのキャラクターを、はっきりくっきりさせてください。このキャラクターなら、こんなリアクションをするだろうなとイメージしやすくしておくのです。

あとは人物をぶつけていけばいいわけです。**人物をぶつけるというのは具体的には二つ**のことが考えられます。

一つは目的です。人物には、それぞれ目的があります。明確な目的がなく、たとえば周囲に流されている人物もいるのではと思われるかもしれませんが、そんな人物も、どうして周囲に流されるのか、人と争いたくないのか、あるいは、のほほんと何も考えたくないのか、実は、**その人なりの目的**があるはずです。まったく同じ目的を持つ人物はいないので、当然ぶつかることになります。

もう一つは感情です。これも人物には、それぞれ感情があり、似たような感情になることはあっても、まったく同じ感情になることはありません。

それぞれの人物の目的や感情をぶつけ合って、それぞれのキャラクターならではのリアクションを引き出してみてください。思ってもみなかった展開が生まれると思います。

多様な登場人物

さて、今回のマエストロ映画は『**安城家の舞踏会**』です。

安城家は、かつては伯爵家でした。当主が使用人に「殿様」と呼ばれていることや玄関に甲冑が置かれていることから江戸時代は大名であったことがうかがわれます。しかし、終戦後、華族制度がなくなり没落しようとしています。洋館造りの立派な邸宅も借金のカタに人手に渡ろうとしています。その邸宅で最後の舞踏会が開かれるのです。

ワンシーンだけ敷地に面した海岸のシーンがありますが、ほぼ、この邸宅の敷地内だけで描かれます。

そこに多くの人物が登場します。

当主の安城忠彦（滝沢修）は絵画を学びにパリ留学をしたこともあり、自ら「今まで一度も人に頭を下げたことがない」と言うほど高い美意識があります。次女の敦子（原節子）は責任感が強く、父親を傷つけずに借金を返済するという目的に果敢に立ち向かっていきます。長男の正彦（森雅之）は気ままで傍若無人、いつもヘラヘラしている典型的な放蕩息子です。使用人の女性と肉体関係がありつつ、借金の相手の娘と婚約しています。長女の昭子は気位が高く、一度は結婚したものの夫に妾がいたことで離婚、安城家に戻ってきています。

新川は計算高く、旧知の間柄である忠彦の伯爵の地位を利用していたのですが、華族の価値がなくなった今は関係を清算し、借金のかたに邸宅を取り上げようとしています。新川の娘の曜子は世間知らずで、婚約関係にある正彦との結婚を夢見ています。

遠山は真っ直ぐすぎる性格で、つい思ったことを何でも口に出してしまいます。かつて安城家の運転手をしていましたが、想いを寄せていた昭子が結婚するとショックで家を飛び出してしまいました。現在は運送業で成功し邸宅を買い取って欲しいと敦子に頼まれています。昭子を慕い続け現在も独身です。菊は安城家の使用人で、正彦と肉体関係を続けています。

ほかにも、忠彦の姉の春小路正子、忠彦の弟の由利、忠彦の愛人で元芸者の千代、安城家の使用人の吉田などが登場します。

これほど思惑や事情を抱えた登場人物が舞踏会に集まるわけですから、**ぶつかり合って化学反応を起こさないわけがありません**。

また、特に昭子と遠山には過去の経緯が少なからずありますが、**回想シーンがまったく使われていないこと にも注目**してください。

人物が動くことでストーリーが展開する

マエストロ映画の「**20枚**」は、正彦が酒を飲ませ酔い潰れさせた曜子を抱えて温室に運びこむところからです。曜子を寝かせ、背広を脱ぎ、外を見ると夜の真っ暗な海です。

正彦は曜子と無理やり関係を持とうとします。気がついて「正彦さま、ダメ！」と声を上げる曜子の口を塞いだ時、石が投げられ温室のガラスが割れます。「誰だ！」石を抱えていた菊が物影に隠れ逃げ去っていきます。

正彦は何事もなかったように上着を着て髪をなでつけます。「結婚してくださるわね」とすがりつく曜子に「フン、結婚？」と鼻で笑い「さっき君のお父さんは僕たちの婚約を解消してしまったんだ」と告げます。「そんなこと私が承知しないわ」と言う曜子に「君が承知しなくたって、僕は君との結婚なんて真っ平です」と温室を出て行ってしまいます。

なおも抱きついてきて「お父様が反対なら私、うちを出てきてもいいわ。あなたが結婚してくださるなら私、何もかも捨てるわ」と言う曜子を突き放し立ち去ります。

舞踏会に駆け戻ってきた曜子は、新川にすがりついて声をあげて泣き出します。みんな、踊るのをやめ楽団の演奏も止まります。そこに正彦が現れます。新川が「一体これは、どうしたんです？」と尋ねると「別に、どうもしやしませんよ」と。

曜子が正彦に向かって歩いてきて睨みつけます。「何か用なの？」と薄ら笑う正彦に「けだもの。あなたなんかと誰が結婚するもんですか」と頬を思い切り平手打ちします。左右左右左と五発連続で。

原節子（左）と滝沢修
1947年　出典：ウィキメディア・コモンズ

正彦は周りを見回すと、いきなりアハハハハと高笑いします。そして、ピアノに向かい華麗に弾き始めます。

曜子が駆け去り、新川が追っていこうとした時「新川さま、お待ち遊ばして」と敦子が呼び止めます。手には大量の札束が。「お借りしていたお金を、お返しいたします」と新川に突きつけます。

と、ぐでんぐでんに酔った遠山が現れます。「新川、その金持って、とっとと帰れ」と酒瓶を振り上げます。「無礼な」と札束を受け取った新川は立ち去ります。

遠山は階段を途中まで上がり客たちに向かって「みなさん、オラア、遠山庫吉だ。たった今、このオレが、この家を買ったんだ」と演説を始めます。そんな遠山を昭子が見つめています。「運転手風情が、この家を買ったんだ。お上品なみなさん、下品で汚い、このワシが、この家を買ったんだぞ」遠山は、だんだん寂しげになり「おい、楽隊屋、オレさまが帰るんだ、景気のいいところをパーッとやってくれ。いや、静かなのがいい、寂しいのが」と肩を落として階段を下ります。

正彦が静かにピアノを奏でバイオリンが合わせます。「昭子さま、どうぞ、お幸せに」と遠山は去っていきます。

と、昭子が遠山を追います。

砂浜を歩く遠山。昭子が見つけ走り出そうとしてつまずき、砂の斜面を転げ落ちます。真珠のネックレスを落とし靴が脱げますが、昭子は裸足で遠山を追います。

これで約10分、およそペラ20枚です。

菊の行動が正彦の行動を変え、正彦の行動が曜子の感情を変え、曜子の行動が正彦のリアクションを生み、敦子の行動が状況を変え、遠山の行動が昭子の感情と行動を変えています。

ストーリー展開は作者が頭で考えるのではなく、登場人物が動いていくことで出来上がっていくことが、分かっていただけたのではないかと思います。

◆**『安城家の舞踏会』**１９４７年日本映画　監督：吉村公三郎　脚本：新藤兼人　出演者：原節子　滝沢修　森雅之　上映時間：89分

『シェーン』が教えてくれる
常識外れ「敵キャラ」の魅力！

「**敵キャラ**」の話をしたいと思います。

ただし、まず押さえておいてください。**シナリオは、あくまで主人公**です。

小説と比べてみましょう。小説は読者が自分で文章を読み進めていきます。能動的です。しかも具体的なイメージは読者がそれぞれ自分でイメージします。元になるのは他人が書いた文章ですが、そこから読者自身が、いわば自分の世界を作りながら読み進めていくわけです。自分が作った世界ですから入っていきやすいといえます。

一方、**シナリオは映像**になります。映像は勝手に流れてきます。**観客や視聴者は**何もしません。**受け身**です。しかも具体的なイメージは、ほぼ作り上げられています。観客や視聴者にとって他人が作った他人の世界が勝手に流れてくるわけです。観客や視聴者に入ってきてもらうには引っ張りこむ必要があります。**そこで観客や視聴者を感情移入させる**のです。感情移入するのは人に対してです。出来事には感情移入しません。**特に主人公に感情移入させるように**描くわけです。

小説では章ごとに主人公が替わるものもあります。シナリオでは、例外もありますが、基本的には一人の主人公を追いかけて描くことになります。

その上で「敵キャラ」です。観客や視聴者を感情移入させるよう主人公を描いた上で、生き生きと描かれた個性ある「敵キャラ」が登場する映画やドラマはワクワクと心躍りますよね。連ドラで「敵キャラ」が毎週楽しみで観ているような時もあります。

でも勘違いしないでください。**楽しみにしているのは「敵キャラ」そのものではなく、「敵キャラ」が主人公をどう困らせるのか、**なのです。

ですので「敵キャラ」は、どれだけ主人公を困らせられるかが勝負です。主人公が太刀打ちできない相手になればなるほど、観客や視聴者は、どうする？　どうなる？と引きこまれます。多分こうなるんだろうなあと予想されたら引きこまれません。

でも、ほとんどの場合、主人公は「敵キャラ」に打ち勝つわけです。それは観客や視聴者も重々承知しています。それでも、**本当に主人公は勝てるのか？と思わせるぐらいの「敵キャラ」**を考えてみてください。

『シェーン』の「敵キャラ」

マエストロ映画『シェーン』にも「敵キャラ」が登場します。

この名画は、南北戦争後のアメリカ西部、主人公シェーン（アラン・ラッド）は開拓者たちのリーダー的存在であるジョー（ヴァン・ヘフリン）と出会い、開拓者たちを追い出そうと嫌がらせをしている牧場主一味との争いに巻きこまれていく、という西部劇です。

美しい自然を背景に主人公とジョーの家族との交流、特に息子のジョーイと心通わせていき、ラストで

「シェーン」を演ずるアラン・ラッド（右）
1953年　出典：ウィキメディア・コモンズ

ジョーイが「**シェーン、カムバック！**」と叫ぶシーンは、映画史でも最も有名なラストシーンの一つです。

注目の「敵キャラ」は、牧場主に雇われ一味に加わるウィルスン（ジャック・パランス）です。映画の三分の一を少し過ぎたあたりの登場シーンで不気味な存在感を漂わせ何か起こりそうな予感がして目が離せなくなります。

開拓者の一人・トーリーが、牧場主たちが溜まり場にしている酒場に来て強がるシーンでは、つねにニヤニヤと不気味な薄笑いを浮かべています。

マエストロ映画の「**20枚**」は、この後です。

独立祭のお祭りから馬車で帰ってきたジョーの家族とシェーンを、牧場主が待ち構えています。傍らには馬上で、やはり不気味な薄ら笑いを浮かべているウィルソンがいます。

シェーンは馬車を降り、ゆっくりと歩きます。

牧場主はジョーに「俺の下で働かないか」「金なら弾むぞ。稼ぎの倍出そう」と提案します。

シェーンはウィルソンを牽制するような位置で立ち止まります。

牧場主は「放牧の許可も与える。それに土地も買い取ってやる。そっちの言い値で構わん」と言いますが、ジョーは受け入れません。

牧場主が語ります。「よく聞け。俺が入植したのは、お前がガキのころだ」「仲間はほとんど死んだ。肩にはインディアンから受けた傷が。この国は俺たちが作った。血へドも吐いた。インディアンやならず者に牛を盗まれもした。この国に今の平和があるのは俺たちのお陰だ」「そこへ、わがもの顔で来たのが、お前たちだ。俺の土地を囲い、水場を奪った。勝手に水路を引く不届き者まで現れて、川は何度も枯れた。そのつど牛を大移動だ。俺たちに権利はないか？　この土地に命を賭けたんだぞ」

その間、シェーンとウィルソンは互いに牽制し合うように相手から目を離さず、まずシェーンが水飲み場の柄杓で水を飲みます。シェーンが水飲み場から離れるとウィルソンが馬から降りてきて水を飲みます。

ジョーは「この土地を築いたのは、あんたたちじゃない。漁師やインディアン相手の商人たち、彼らこそ開拓者だ」と反論します。

牧場主が「議論はいい。条件は出したぞ」と言うと「ほかの者は？　仲間は？」とジョーが尋ねます。「常識で考えろ。カードの枚数は決まってるんだ」「なら断る」

すると牧場主はジョーの息子に話しかけます。「どうだ坊や、おじさんと手を組まないか？　お父さんと争いたくない。誰も傷つけたくないんだ」息子は席を立ち母親の横に移ります。

牧場主は「後悔するなよ」と言って立ち去ります。ウィルソンも馬に乗り、相変わらず薄笑いを浮かべながら後についていきます。

ジョーとシェーンは「奴を、どう思う？」「くせ者だな」「ああ、ただの牧童とは思えんな」とウィルソンを見送ります。

冷酷無情なウィルソン

翌日、一人で街に出るのが心細いと言う開拓者にトーリーが付き添っていきます。馬を留めていると「こっちに来い」とウィルソンに呼ばれます。一緒にいた開拓者は「トーリー、行かないほうがいい」と止めますが「心配するな」と。

トーリーは、ぬかるむ足下を気にしながら進んでいくとウィルソンと向き合うところで立ち止まり「俺に用か」と胸を反らせます。「どこへ行く」「酒を買いに」トーリーが酒場に向かおうとすると仲間の開拓者が「トーリー」「戻れ」と心配します。

ぬかるみに足を取られながら歩くトーリーと並んでポーチを歩くウィルソン。

ウィルソンが「貴様がストーンウォールか?」とトーリーのあだ名をからかいます。「笑えるな。呼び名の由来は南軍のクソ将軍ストーンウォールか」二人は立ち止まり再び向き合います。ウィルソンは黒手袋をはめながら「奴もリーも南軍の野郎は、みんなクソだ。お前もな」と挑発します。笑みを浮かべながら「抜けよ」と。

トーリーが銃を抜いて構えようとした瞬間、ウィルソンが、もの凄い早業で銃を抜き銃口をトーリーに向けます。

呆然とするトーリー。ウィルソンが笑みを浮かべたまま撃ちます。トーリーは吹っ飛ぶように頭からぬかるみに突っ込んで動かなくなります。それを見ているウィルソンは相変わらず笑みを浮かべています。

これで、およそ10分、だいたいペラ20枚ぐらいです。

特に、拳銃を抜いたのに先に銃口を向けられ呆然となったトーリーを、すぐには撃たず、間を置いて仕留めるところに冷酷無情さを感じさせます。

ストーリーだけ考えればトーリーが殺されるだけで十分です。極端にいえば牧場主一味にトーリーが殺されたとジョーのところへ誰かが知らせに来るだけでもいいでしょう。それによって逃げ出そうとする開拓者をジョーや主人公が引き止めるという展開になればいいわけですから。

しかし、**ウィルソンという常識外れのヤバい奴の登場によって**、主人公はより深く開拓者と牧場主の対立に踏み込んでいくことになります。

そして観客も主人公が「敵キャラ」に勝つんだろうなと思いつつ、ハラハラドキドキして引きこまれていくわけです。

◆『シェーン』 1953年アメリカ映画 監督・製作:ジョージ・スティーブンス 脚色:A・B・ガスリー・Jr 原作:ジャック・シェーファー 出演者:アラン・ラッド ジーン・アーサー ヴァン・ヘフリン ジャック・パランス 上映時間:118分

第4章

葛藤は面白くする最強のテクニック

『第三の男』が教えてくれる
葛藤を描くって、そういうことだったんだ！

葛藤、描いていますか？

葛藤は、人に面白いと思わせる重要な要素の一つです。主人公を葛藤させれば葛藤させるほど、観客や視聴者は**感情移入**します。感情移入すればするほど「**面白い**」と感じてくれるのです。つまり、自分のシナリオに葛藤が描かれているかどうかを具体的にチェックできれば、人にとって面白いかどうか判断できますし、葛藤が描かれていなければ葛藤を入れることによって人に面白いと思わせることができるというわけです。

というわけで、葛藤ってどんなものなのかマエストロ映画に教えてもらいましょう！

葛藤のパターンその1

お手本のマエストロ映画は『**第三の男**』です。

舞台は第二次世界大戦直後のウィーン。そこにアメリカから売れない小説家のホリー・マーチンス（ジョゼフ・コットン）がやって来ます。親友だったハリー・ライム（オーソン・ウェルズ）に仕事があると誘われたのですが、ウィーンに着いてみるとハリーは車に轢かれ亡くなっています。墓地での埋葬に参列し、知り合った国際警察のキャロウェイ少佐と酒を飲みますが、ハリーを悪人だと話す少佐に反発、警察がハリーに罪を着せて殺したのではないか、事故死の真相を究明してやると決意します。

しかし、事故の現場にいたハリーの友人に話を聞きますが、埒が明きません。何かを隠しているようでもあります。

ハリーの恋人だった女優のアンナ・シュミット（アリダ・ヴァリ）に会いに行き、話を聞くと、事故現場に主治医がいたり、轢いたのはハリーの運転手だったことが分かり、疑惑を深めますが、真相は見えてきません。

さらに、ハリーの家の管理人が事故の直後を目撃していて、遺体を道路の向こう側に運んでいたのは３人

1950年　出典：ウィキメディア・コモンズ

の男だと聞きます。ハリーの友人は2人で遺体を運んだと証言しており、第三の男の謎が浮上します。しかし、頑なに証言を拒む管理人と口論になってしまい、それ以上、詳しい話を聞くことができません。

主治医に会いに行きますが、車に轢かれただけだ、現場にいたのはハリーの友人2人だったと取りつく島がありません。さらに、瀕死のハリーを道路の向こう側に運んだという、もう1人の友人に、管理人が目撃した第三の男は誰だと詰め寄りますが、「運んだのは私たち2人だった」と言い張ります。

そんな時、管理人から、今夜、詳しい話をするから来てほしいと言われます。アンナと一緒に管理人を訪ねると、管理人は何者かに殺されています。しかも管理人と口論していたことから管理人殺しの犯人だと疑われ追われることになります。

さらに闇商人たちにも命を狙われることになったホリーに、キャロウェイがハリーの犯罪の真相を伝えます。ハリーは軍病院の看護兵にペニシリンを盗ませ、それを薄めて密売したのです。その粗悪ペニシリンが原因で女性や子どもを含む多くの人が死んだり脳障害に苦しめられることになったのです。ホリーはキャロウェイにアメリカに帰るよう勧められ受け入れます。

ここまでが**葛藤のパターンその1**です。

友人ハリーの事故死の真相を究明しようとする主人公に、真相を隠そうとする人物が現れたり、やっと糸口が見つかったと思ったら壁にぶつかったり、真相を知るであろう人物が殺されてしまったりします。

主人公に**目的**を持たせ、その目的に向かう主人公に**障害物**をぶつけて困らせ、**乗り越え**ようとすると、また障害物をぶつけて困らせ、また乗り越えようとすると障害物をぶつけ～と繰り返していく**葛藤のパターン**です。

葛藤のパターンその2

アメリカに帰ることを決めたホリーですが、最後にアンナに愛の告白をしに部屋を訪ねます。アンナに受け入れられず部屋を出ると、陰に潜む男の気配を感じます。「なぜ、尾けてくる？　出て来い！」と叫ぶと、階上の部屋の明かりがついて男の顔が照らされます。死んだはずのハリーです。追いかけますが姿を見失ってしまいます。

葛藤から話が離れますが、**このシーンは必見**です！　アンナの部屋のシーンと「ハリーにだけなついている」猫が陰に潜む男の足元にすり寄る**カットバック**（6章136頁参照）、ハリーの顔が光に照らされる瞬間、逃げるハリーの影と足音。**これぞ映画！**と惚れ惚れしてしまいます。

アメリカに帰るのをやめたホリーは観覧車でハリーと対面します。身分証の偽造によりチェコスロバキアに強制送還されそうなアンナを助けてやれと言いますが、ハリーは自分の身を守ることしか考えていません。

マエストロ映画の「**20枚**」は、**この後の葛藤のパターン2を描いた部分**です。

まず、主人公はキャロウェイからハリーをおびき寄せてくれと頼まれますが、20年来の友人を裏切ることはできないと断ります。しかし、アンナの身分証偽造が立件されそうなことを知り、アンナが強制送還されないよう身分を保証するのを交換条件に、ハリーをおびき寄せることを承諾します。

ところが、安全地域に汽車で移動するアンナを、こっそりと見送ろうとして、見つかってしまいます。ハリー逮捕に協力することがばれて、アンナは汽車に乗ることを拒否、新しい身分証を破り捨て去っていってしまいます。

主人公は、破られた身分証をキャロウェイに見せてハリー逮捕に協力できないと言い、アメリカに帰ろうとします。ところが空港へ向かう途中、キャロウェイに病院へ連れて行かれます。ハリーの粗悪ペニシリンの被害者たちが入院している病院です。被害者を目の当たりにして、再び「おとりになるさ」と言い、その夜、共同区域のカフェでハリーを待ちます。

これで約9分です。

ハリー逮捕に協力するよう頼まれて断るが、やっぱり協力しようとする、でも協力しないでおこうとするけど、協力しようと思うが……、と揺れ動いています。**主人公に対立する2つの気持ちを持たせ、その間で揺れ動かす葛藤のパターン**です。

目的に向かう主人公に次々と障害物をぶつけていくパターンと、主人公が対立する2つの気持ちで揺れ動くパターン、葛藤のパターンは、この2つです。

自分が書いているシナリオに、どちらのパターンの葛藤が入っているのかチェックしてみてください。葛藤がなければ、どちらのパターンの葛藤を入れることができるか、どんな目的を持たせ障害物をぶつけるか、どんな気持ちとどんな気持ちで揺れ動かすか、具体的に考えてください。人（観客や視聴者）に「面白い」と言われるシナリオになること間違いなしです。

◆『第三の男』　1949年イギリス映画（日本公開1952年）　監督：キャロル・リード　脚本：グレアム・グリーン　出演者：ジョゼフ・コットン　オーソン・ウェルズ　アリダ・ヴァリ　上映時間：105分

『望郷』が教えてくれる　シーソーゲームにすれば釘づけにできる！

思わず引きこまれて目が離せなくなるシナリオって、どうすれば書けるんでしょう？

ちょっとスポーツ観戦をイメージしてください。TV中継でも構いません。たとえばサッカー日本代表の試合、ずっと敵陣でボールを支配し次から次へとシュートが決まっていくのは安心して観ていられるかもしれませんが、やっぱり点を取ったと思ったら取り返されて追いつかれ、さらに取られて逆転されたけど、また点を取って追いついて、という手に汗握るシーソーゲームが引きつけられます。相手のゴールに攻めこんで、さあゴールチャンスと舞い上がっていたのが、ボールを奪われ攻撃されて一気にピンチ！と思いきやボールを奪い返して、となると釘づけになりますよね。サッカーに限りません。マラソンなら抜きつ抜かれつのデッドヒート、ボクシングなら倒し倒されの大激闘になれば食い入るように見つめてしまうでしょう。

シーソーゲームやデッドヒートならば、観客や視聴者がグイグイ引きこまれて目が離せなくなること間違いなしというわけです。

でも、スポーツなら分かるけど**シナリオでシーソーゲームやデッドヒート**って、一体どういうことでしょう？

実は、**それが葛藤**なのです。

ただし、シーソーゲームやデッドヒートにするために主人公を動かすことを忘れないでください。主人公に障害物をぶつけても、**ただ困っているだけではシーソーゲームになりません**。主人公に対立する気持ちを持たせても、**どちらを選ぶか悩んでいるだけではデッドヒートになりません**。特に対立する気持ちで揺れ動かすパターンでは気をつけてください。

たとえば好きな人に告白したい気持ちと告白できない気持ちで葛藤させようとしているとき、主人公が好きな人を見つめていたり、ため息をついたり、友だちに指摘されて狼狽したり、自分の部屋で落ちこんでいたりするだけのシナリオに陥りがちです。

主人公の気持ちが描けているので勘違いしてしまいますが、**これでは葛藤になっていません**。サッカーなら1対1のまま中盤でボールを奪い合っては回しているだけ、マラソンなら互いに出方を伺って並走しているだけ、ボクシングなら相手を誘うパンチは出すが一定の距離を保って向き合ったままと同じです。観客や視聴者は釘づけになるどころか欠伸が出ます。しっかり**主人公を揺れ動かしてシーソーゲームやデッドヒートにしてください**。

どのようにして揺れ動かせばシーソーゲームやデッドヒートになるか、マエストロ映画に教えてもらいましょう。

『望郷』のラストシーン

マエストロ映画は『望郷』です。

一番有名なのがラストシーン。ジャン・ギャバン演じる主人公ぺぺ・ル・モコは犯罪者で、愛する女性がパリへ帰っていくのを追って港にきますが、刑事に捕まってしまいます。出航する船を見送っていると甲板に女性の姿が見えます。ぺぺは愛する女性の名を「ギャビー！」と叫びますが、同時に汽笛が鳴り、かき消されてしまうのです。そのまま女性は船内に戻っていき船は港を離れていきます。

私の大好きな伝説的テレビドラマ『傷だらけの天使』の最終回にも、このラストシーンがオマージュされていました。

新井一の『シナリオの基礎技術』にもラストシーンの例として取り上げられています。面白いのは「ギャビー！」と2度、叫んでいるように書かれていることです。実際の映画で名を叫ぶのは1度だけです。印象に残ったシーンって自分の中で何度も繰り返し思い出しているうちに増幅されていくことがありますよね。このシーンが、どれほど印象的なシーンだったかをうかがわせます。

舞台となるのは当時のフランス領アルジェリアの中心都市アルジェにあるカスバです。さまざまな人種や犯罪者が流れこんでいる無法地帯で、路地が迷路のように複雑に入り組んでいる上に、密集した家のテラスが互いにつながっていて逃げ道になります。

ぺぺは2年前、南仏で銀行強盗をして大金を奪い、警察とカーチェイスの末、このカスバに逃げこんで来たのですが、カスバの人気者となり、カスバの人々や部下たちに守られています。これまで警察が何度も逮捕しようと試みましたが失敗しています。

つまりカスバにいる限り警察に捕まることはありません。

しかし、逆に言えば外に出られないのです。カスバから出た途端、捕まってしまいます。いわば籠の鳥です。何不自由ない生活をしていますがカスバに飽き飽きしています。

そんな時、パリから来た女性ギャビーと出会います。最初はギャビーが身につけている宝石狙いもあったのですが、次第にギャビーから感じるパリの匂いに惹かれていきます。

二転三転、主人公が揺れ動く

マエストロ映画の「20枚」は後半、ぺぺを街におびきだそうとした警察の罠にかかり、目をかけていた若い部下が銃で撃たれて殺された後です。

ぺぺは酒場で飲んだくれています。街で行なわれている部下の葬式にも行けません。その日、会いにくると言っていたギャビーのことを刑事に聞くと「もう来ないよ、騒ぎはごめんだとさ」と言われてしまいます。「街に下りてやる。俺はいつだって自由なんだ」「何もかもうんざりするぜ。今すぐ街に下りてやる。今すぐだ」「あの女が来ないなら俺が下りる」と走り出します。

警察署では署長が電話を受けます。そして「ぺぺが街に下りるらしい。カスバの出入り口を固めろ。大至急だ」と命じます。

ぺぺが入り組んだ路地を人を避けながら走っていき、足を滑らせ転びます。警察の車がカスバの出入り口に到着し刑事たちが飛び降り配置についていきます。ここは「カットバック」で「サスペンス」をかけ（6章144頁参照）、どうする？どうなる？とハラハラドキドキ感を盛り上げています。

ぺぺを一途に愛する情婦に追いつかれ「行っちゃだめよ」と引き止められますが、ぺぺは起き上がり、再び街に向かって走り始めようとします。ところが情婦に「あの女が家に。あの女が家であんたを待ってる」と言われます。ぺぺは踵を返し路地を走って戻ります。

しかし、家には誰もいません。「俺をだましたな。嘘だろ」と怒っていたぺぺですが、情婦の「引き止めたくて、だから……」という言葉に「分かった。俺が馬鹿だった。勘弁しろ」と力が抜けたように座ります。笑いながら「足が速いのね」「夢中だった」「でも捕まえたわ」「お前が一等賞だ」というやりとりがあり「喉が渇いた」と酒瓶を手に取ります。空です。「空っぽか。俺みたいだな」と立ち上がり「飲んでくる」と言って家を出て行きます。

酒場に向かおうとしていたぺぺがハッとします。路地の先にギャビーが立っているのです。「ほら、約束どおりよ」

これで10分弱、ほぼペラ20枚です。

まさにシーソーゲームです。二転三転、主人公が揺れ動かされています。シーソーゲームなので、この先どうなるのか予想がつきません。どうする？　どうなる？とグイグイ引きこまれ目が離せなくなるのです。**20枚でも十分、シーソーゲームを描ける**んだなあと再認識できます。

また、あえてギャビーが現れたところで20枚を終わらせてみました。こんな感じで**20枚シナリオでは話をまとめてしまわない**で、むしろ、もう一つ逆転させてシーソーゲームにできないか考えてみてください。それで、続きを読みたくて読みたくてたまらない！と思わせられれば大成功です。

◆**『望郷』**　１９３７年フランス映画　監督：ジュリアン・デュヴィヴィエ　脚本：ジャック・コンスタン　原作：アシェルベ　出演者：ジャン・ギャバン　ミレーユ・ラバン　上映時間：94分

『陽のあたる場所』が教えてくれる
葛藤させればさせるほど感情移入する！

自分に才能があるのだろうか……。不安に思っている人、いませんか？

では、才能って具体的に、どんなものでしょう？考えてみると何だかよく分かりませんよね。そんな曖昧で、よく分からない言葉に右往左往する必要はありません。

イチロー選手の言葉に「僕は天才ではありません。なぜかというと自分が、どうしてヒットを打てるかを説明できるからです」というのがあります。イチロー選手はヒットを打つために才能といった特殊な能力に頼るのではなく、何を、どうすればいいかを考え、その何を、どうすればいいかを実現するためにトレーニングをしたり集中力を高めたり具体的な手段を尽くしているのだろうと思います。

面白いシナリオを書くには、何を、どうすればいいか？

その一つが**主人公を葛藤させる**ことです。シンプルです。決して難しくありません。葛藤を描けない、あるいは描くのが難しいと感じている人は、ああなって、こうなってとストーリーを考えてしまっているのが原因です。

何を、どうすればいいかが分かれば才能なんてクソ食らえです。

『陽のあたる場所』の主人公

マエストロ映画『陽のあたる場所』をみていきましょう。

貧しい母子家庭に生まれ育った主人公ジョージ（モンゴメリー・クリフト）が、水着メーカーを経営する叔父を訪ね、工場で働くことになるところから映画が始まります。この時、アンジェラ（エリザベス・テイラー）も叔父の家を訪ねてきます。主人公はアンジェラを憧れの眼差しで見つめますが、二人は言葉を交わすこともありません。

工場は社員との交際厳禁ですが、主人公は同じ職場のアリス（シェリー・ウィンタース）と恋人同士になります。この展開も、**やってはいけないことを主人公にやらせている**ので、**ハラハラドキドキ**しながら引きこまれていきます。

叔父の家のパーティーに招待された主人公は、アンジェラに声をかけられダンスを踊ります。二人は急速に親密さを深め愛し合うようになります。一方、アリスには妊娠を告げられます。交際が発覚すれば二人とも失業するため、堕胎しようとしますが応じてくれる医者が見つからず、アリスは結婚を迫るようになります。**どうしようもなくアンジェラに魅かれていく気持ちとアリスと別れられない気持ちで揺れ動き**、どうする？　どうなる？と引きこまれます。

そんな時、猛暑で水死者が増えているニュースを聞いていた主人公に、ふとアリスに対する殺意が芽生えます。

一緒に夏休みを過ごす主人公とアンジェラの写真が新聞に載り、アリスに自分たちの関係をばらすと脅され慌てて戻ってきた主人公は、明日、裁判所に行き結婚すると言われます。ところが、裁判所に行くと祝日で休みです。逆上しそうになるアリスを主人公は「先に新婚旅行へ行こう」と湖に誘います。

殺そう／殺せないで揺れ動く

マエストロ映画の「**20枚**」は、この後です。

主人公はアリスを車に乗せ湖に向かいます。ガス欠を装い、ここで降りてボートに乗ろうと言います。貸ボート屋に、ほかにボートで遊んでいる人はいないことを確認し、偽名でボートを借ります。

乗りこもうとするとボートが揺れ悲鳴を上げるアリスを、しっかり支えてボートに座らせると自分もボートに乗りこみ漕ぎ出します。

湖の奥へ奥へ漕ぎながら主人公はアリスを見つめています。周りは鬱蒼とした森。「怖いわ。世界に二人取り残されたみたい」と話すアリスを、じっと見つめたまま主人公のオールを持つ手が止まります。主人公の顔が殺意で強張ります。

その時、アリスに「どうしたの？　顔色が悪いわ」と言われ、我に返ります。「何でもない。ずっと漕いでいたから疲れた」と、ちょっと横になります。

アリスが一番星を見つけ「どうか私の願いを叶えてください」と言うと「お願いした？　何て願ったの？」と訊いてきます。主人公は「別に」と首を横に振ります。「言ったら叶わないものね」と言われ、「すまない」と主人公は謝ります。「いつも、こういう態度で君を傷つけてしまう」「反省してる。これからは君の側にいるよ」と言い、「戻ろう。暗くなってきた」とアリスを殺そうとする気持ちがなくなります。

ところが、アリスが「別の町に引っ越すのはどう？　そこで仕事を探せばいいわ」と話し始めると主人公は顔を背け始めます。そして「もちろん生活は地味になるだろうけど。私は貧乏でもいい」と言われ、「もういい！」と苛立ち「やめてくれ！」と大声を上げます。

アリスに「ジョージ、星に何て願ったの？　私と別れたいって願ったの？　私がどこか遠くに行くように願ったのね。死ねばいいと思ってるのね。そう願ったんでしょ？」と言われ「バカなこと言うな！」と立ち上がり、「僕に構うな」と背を向けて座ります。

するとアリスが「あなたの気持ちは、よく分かったわ」と言って立ち上がり近づいてこようとします。主人公も「動くな！」と慌てて立ち上がってしまいます。バランスを崩しボートが横転、二人とも湖に投げ出されてしまいます。

ここまでで10分弱、およそ20枚です。

アリスを殺そうとする気持ちと殺せないと思う**気持ちの揺れ動きで、感情移入**しグイグイ引きこまれます。

このあとアリスは溺死し、主人公は逮捕され裁判にかけられます。殺そうと思って湖に誘い出したことは認めますが、ボートが揺れて落ちたと主張します。しかし、アリスの頭部に外傷があったことから、検察は主人公がオールでアリスを殴打し湖に落としたと主張します。判決は、有罪。主人公は死刑に処されることとなります。

電話のシーンの書き方

もう一つ、ぜひ参考にしていただきたいシーンがあります。

叔父の家のパーティーでアンジェラと初めて話をしダンスを踊った夜、アリスに妊娠を告げられた数日後のシーンです。

主人公がアパートの部屋から電話をかけます。「僕だ。具合はどう？　そうか。まだ医者を見つけていない。分かった。きっと大丈夫さ。ああ、すぐにやる。おやすみ」と主人公のセリフだけです。電話の相手がアリスで、何を言っているかも想像できます。

デスクに戻ろうとすると電話がかかってきます。「もしもし？　そうです。どなた？　やあ君か。覚えてるよ。声が分からなかった。金曜の夜。空けられるよ。喜んで行くよ。場所は？　分かった。おやすみ。グッバイ、アンジェラ」と、これも主人公のセリフだけです。

電話のシーンの書き方としては、二人のシーンを交互に描く方法と、一方だけのシーンにして相手のセリフは声にして描く方法、この二つの方法を混ぜ合わせるというのが多いのですが、一方だけのシーンにして相手のセリフも出さず、こちらが話しているセリフだけで相手が何を言っているか想像させるというやり方も、ぜひ覚えておいてください。

◆『陽のあたる場所』１９５１年アメリカ映画（日本公開１９５２年）　監督・製作：ジョージ・スティーヴンス　脚本：マイケル・ウィルソン　ハリー・ブラウン　原作：セオドア・ドライサー『アメリカの悲劇』　出演者：モンゴメリー・クリフト　エリザベス・テイラー　上映時間：１２２分

錬金術の極意 4

第5章

セリフと小道具を磨くワザ

『七人の侍』が教えてくれる

セリフを面白くするのは、映像との組み合わせ！

シナリオを面白くする一番のポイントって何だと思いますか？

セリフです。もちろんセリフさえ面白ければいいというわけではありませんが、セリフが磨かれると今までとは見違えるようなシナリオになります。ストーリーを考えるよりシーンを面白くしようと考えてください。

「いやいや、セリフだって考えてます。だけど、ちっとも面白くならないんです」という方もいらっしゃるかもしれません。セリフそのものを変えずに部分的にいじくり回しているだけではありませんか？

セリフそのものを丸ごと変えられないか、同じことを伝えるんだけれども全然違う言い方ができないか、考えてみてください。

まるごと違う言い方に

どうすればセリフが面白くなるのか、どうセリフを磨けばいいのか、マエストロ映画『**七人の侍**』に教えてもらいましょう。

まず『七人の侍』は3時間半弱の長～い映画です。でも、まったく長さを感じさせません。というかグイグイ引き込まれてアッという間に見終わってしまいます。

それも何度観ても、です。ストーリーそのものは一度観れば覚えてしまいます。忘れていたところも観ているうちに思い出します。たとえば、作物を奪おうとする野武士を撃退するため侍を雇おうと山村から町に下りてきた農民たちが、志村喬さん演じる勘兵衛と出会うシーン。勘兵衛は、納屋に立てこもった盗人が人質にしている子どもを助けようとしています。頭を丸め、坊主に袈裟を借り、握り飯を二つ持って……。この後どうなるのかは一度観れば分かっています。それでもハラハラドキドキして引きこまれます。それは一つ一つのシーンが面白いからにほかなりません。

さて、セリフです。**セリフそのものを丸ごと変える方法の一つが映像との組み合わせ**です。

子どもを助けた勘兵衛に「お願えが御座ります」と声をかけ、農民たちはボロボロの安宿に連れて行きます。宿では農民の1人が土鍋で米を炊いているのを人足が「ヘッ、性こりもねえ。また食い逃げされてえのか」とからかいます。

農民たちが野武士を撃退してほしいと頼むところは省略されています。いきなり農民たちがしょんぼりしていて勘兵衛に断られたことがうかがわれます。農民が「では、どうしても……」とすがりつきますが、勘兵衛は「出来ぬ相談だな」と突き放します。「相手は野武士といえ四十騎だ。侍を2人3人集めてもふせぎはつかん」「どう少なく見積もっても……わしを入れて……7名」と言われ、「では、7人いれば」と農民たちは希望を持ちますが、「待て待て、わしは引請けたわけではないぞ」「第一、頼むに足る侍をそれだけ集めるのは容易ではない」と勘兵衛は言い、「このわしも戦にはあきた……歳だでな」と立ち去る身支度を始めます。

すると農民が泣き始めます。それを見た人足が「百姓に生まれなくてよかったなあ」「犬のほうがましだあ」「死んじめえ、死んじめえ、早いとこ首括っちまえよ」と。そこから勘兵衛についてきた若い侍（木村功さん演じる勝四郎）と人足が喧嘩になります。そして、人足が飯椀を勘兵衛に突きつけ、「こりゃ、お前さんたちの食い分だ。ところが、この抜け作どもァ何食ってると思う？　稗食ってるんだ。自分たちァ稗食って、お前さんたちにゃ白い飯食わしてるんだ！」と食ってかかります。

「よし、分かった……もう喚くな」と勘兵衛は飯椀を受け取り「**この飯、おろそかには食わぬぞ**」と言うのです。

野武士を撃退する**頼みを引き受けたというセリフを、飯椀の映像と組み合わせることで丸ごと全然違う言い方に変えています。**

作品のポスター　1954年
出典：ウィキメディア・コモンズ

この後、村人の一人が長老の爺さまに、百姓の娘は侍に目がないし、侍に娘を取られたら村は収まらないし、侍が村に来るのが心配だ、と訴えると、爺さまが「**首が飛ぶつうのに髭の心配してどうするだ!**」と答えるセリフがあります。

これも、「本末転倒な心配をするな」というセリフを**丸ごと違う言い方**にして、面白いセリフになっています。**たとえを上手く使っている**パターンです。

野武士軍団初の襲撃シーン

勘兵衛を頭とする7人の侍に最初に加わった凄腕の浪人が、ひょうきんな侍を勧誘するシーンがあります。ひょうきん侍が薪割りしているのを浪人が見ていて、「お上手だの」と言うと、ひょうきん侍は「いや、人を斬るほどには参らぬ」と答えます。「人はだいぶ斬られたのか」「左様、斬りだしたらきりがないでな、その前に逃げることにしておる」「よい、お心掛けじゃ」「恐縮でござる」と続いて、「ところで、おぬし、野武士を30人ほど斬ってみる気はないかな」というセリフになります。ひょうきん侍は薪割りを空振りしてしまいます。

そして、勘兵衛と引き合わされたひょうきん侍は「**林田平八、薪割り流を少々使います**」と自己紹介します。

まったく別の言い方にしているわけではありませんが、薪割りという映像との組み合わせからプラスアルファすることで、**ひょうきん侍のキャラクターならではの面白いセリフ**を生み出しています。

マエストロ映画の「**20枚**」＝10分は、野武士軍団が初めて村に襲ってくるところです。

三船敏郎さん演じる菊千代が屋根の上から、馬に乗り丘を駆け下りてくる野武士たちを見つけます。菊千代は「来やがった、来やがったぞ！」と笑います。

村人たちは侍たちに率いられ、それぞれの持ち場につき戦闘準備に入ります。若い侍が持ち場を走り回り、地面に広げた村の地図をにらんでいる勘兵衛に報告します。

菊千代が持ち場である橋を落とすと、そこに長老の爺様の息子夫婦が赤ん坊を抱いて来て、爺様が水車小屋にいるというのです。菊千代が「しょうのねえ爺だなあ。早く行ってしょっ引いて来い」と言い2人は水車小屋に向かいます。

橋向こうの道に野武士が現れます。菊千代は挑発するように前に出て行ったり、お尻をペンペン叩いて見せたりします。

野武士たちは川向こうの家に火を放って走り去ります。焼ける家を言葉を失いを見つめる村人たち。勘兵衛や若い侍も走ってきます。菊千代は「畜生！　山犬！」と向こう岸へ石を投げつけます。

すると水車小屋も燃え始めます。爺様も息子夫婦も戻ってきていません。「ガキもか！」と言うと、菊千代は水車小屋に走ります。「持ち場を離れてはならん！」と勘兵衛が追います。

水車小屋から息子夫婦の嫁が、泣き喚く赤ん坊を抱いて出てきます。走り寄った菊千代に嫁は赤ん坊を手渡すと、力を失って倒れ勘兵衛に抱えられます。嫁は野武士に襲われ、すでに息絶えています。

菊千代は赤ん坊を抱きしめたまま、その場に座りこみます。勘兵衛が「菊千代！　引け！」「愚図愚図するな！」と言いますが、菊千代は動きません。

そして、**菊千代は赤ん坊を強く抱きしめて「こいつは、俺だ！」と言います**。「俺も、この通りだったんだ！」と。

これで時間にすると11分弱ぐらい、だいたいペラ20枚ぐらいと考えられます。

このシーンまでにも菊千代が農民であったであろうエピソードはありますが、過去をセリフで説明するのではなく、赤ん坊という映像と「こいつは、俺だ！」というセリフの組み合わせで伝えています。

もちろん回想も使っていません。ここだけでありません。『七人の侍』に回想シーンはありません。過去の因縁などの設定もありますが、**回想を使わずに伝えているこ**とにも注目して下さい。

◆『七人の侍』1954年日本映画　監督：黒澤明　脚本：黒澤明　橋本忍　小国英雄　出演者：三船敏郎　志村喬　加藤大介　木村功　千秋実　宮口精二　稲葉義男　上映時間：207分

『晩春』が教えてくれる
短いやりとりがセリフを磨く！

セリフが磨かれれば見違えるようなシナリオになることは述べました。

でも、セリフって難しいですよね。まず気をつけてほしいのは、シナリオは文章を書いているので、ついつい小説の会話文のような堅い文章セリフになりがちです。とはいえ普段のおしゃべりで実際に喋っていることを喋っているように書くと、あれこれ脈絡がなく、何を言いたいのか焦点がくっきりしないセリフになってしまいます。**シナリオのセリフって会話文とも違うし、普段のおしゃべりとも違う、独特のもの**なのです。

だからこそ難しく、独特の技術が必要になってきます。

特に、**説明セリフを書くな！**などと言われます。でも、セリフは、そもそも何かを説明しようとして書くわけです。セリフの機能は①事実を知らせる、②人物の心理や感情を表す、③ストーリーを進展させるの三つだといわれていますが、どれも言葉で伝えるので説明にならざるをえません。じゃあ、説明セリフを書くなって、どういうことなんでしょう？　実は説明しているんだけれども、**説明と感じさせないようにする**ということなのです。

説明と感じさせないようにするには、いくつかの方法があります。**とっておきの一つが、できるだけ短いセリフを書く**ことです。**できれば1行**におさまるようにセリフをやりとりさせてみてください。できるだけ短いセリフのやりとりを書くようにすると説明だと感じさせないだけでなく、セリフを磨くトレーニングにもなります。最初は、なかなか上手くいかないかもしれませんが、慣れてくればセリフが自分でも驚くほど自然で生き生きしていくのを実感できること間違いなしです。

小津監督のホームドラマ

マエストロ映画『**晩春**』でみていきましょう。

ストーリーは、笠智衆さん演じる曾宮周吉は早くに妻を亡くし、原節子さん演じるひとり娘・紀子とふたり暮らしをしていますが、紀子に見合いの話が持ち上がります。このまま父親と暮らしたいという紀子を見合いさせるために、自分も再婚すると嘘をついて……という小津安二郎監督のホームドラマです。

小津安二郎監督の映画というとなんだか古くさくて退屈な先入観があるかもしれませんが、とんでもありません。たとえば、お茶会や能楽堂、京都の清水寺の舞台や竜安寺の石庭といったシーンがあり、それとは対照的に銀座のオシャレな喫茶店やバイオリンソロのクラシック・コンサートのシーンがあります。月丘夢路さん演じる紀子の同級生・北川アヤ宅の応接間やアヤの部屋のインテリアなどは、とても洗練されていて、今から半世紀以上も昔の映画とは信じられないぐらいです。

このアヤのキャラクターも、今でいうバツイチで、その時代相応の結婚観は現在とはズレを感じるものの、**今でも十分通用しそうなキャラクター**です。

主人公の妹・まさもユーモラスなキャラクターで、紀子のお見合いの後、鎌倉八幡宮の境内でがま口（財布）を拾って縁起がいいと懐にしまい、主人公に「お前、届けないのかい」と言われて、「そりゃ届けるけどさ」と言いつつ、通りかかったお巡りさんの姿を見て逃げ出すシーンは笑えます。

さて、セリフです。たとえば、紀子と主人公の友人・小野寺が銀座でばったり出会い、主人公や小野寺の行きつけの店に行きます。

紀子が再婚した小野寺に「奥さま、お貰いになったんですってね？」と切り出し、「ああ、貰ったよ」と小野寺が答えた後、「でも、何だかいやねえ」と紀子が言い出します。

「何が？　今度の奥さんかい？」「ううん、小父さまがよ」「どうして」「何だか、不潔よ」「不潔？」「きたならしいわ」「きたならしい」というやりとりになって、小野寺が笑いながら「ひどいことになったな、きたならしいか……」と、おしぼりで拭いた顔を「どうだい？」と突き出します。

紀子も笑いながら「駄目駄目！」「そうかい、駄目かい、そりゃ困ったな」、紀子が「はい」とお酌し、小野寺が受けながら「そうかい、不潔かい」「そうよ！」「そりゃ弱ったな」となります。

この小野寺もユーモラスなキャラクターで、この後、主人公の家に行き酒を飲みながら「ここ、海近いのかい」「歩いて十四五分かな」「割りに近いんだね、こっちかい海」「イヤこっちだ」「東京はどっちだい」「東京はこっちだよ」「すると東はこっちだね」「いやァ、東はこっちだよ」「ふゥん、昔からかい」「ああそうだよ」「こりゃア頼朝公が幕府を開くわけですよ、要害堅固の地だよ」なんていうやりとりもあります。

短いセリフに気持ちが溢れる

主人公が妹のまさから、紀子の結婚相手に主人公の助手の服部がいいんじゃないか、一度、紀子に服部のことをどう思うか聞いてみろ、と言われます。

家に帰ると紀子が「服部さん、いらしたのよ」と言います。「いつ？」「お昼ちょい過ぎ。すぐ、ご飯召し上がる？」「ああ」「散歩に行ったのよ、自転車で」「服部とかい？」「いい気持ちだったわ、七里ガ浜」と聞いて主人公は上着を脱いだり手を洗ったりしながら何だかソワソワして、次のようなやりとりになります。

「服部、なんだって？」「ううん、別に……」「紀子、タオル」「はい」「自転車、２人で乗っていったのかい？」「まさか。借りたのよ、清さんとこのを」「シャボン、もうないぞ。帯」「はい」と主人公は着物に着替え、「今日はよかったろう、七里ガ浜」「ええ。茅ヶ崎の方まで行っちゃったのよ」「そうかい」と２人はご飯を食べ始めます。

「お前、服部さんどう思う?」「どうって?」「服部だよ」「いい方じゃなの」「ああいうのは亭主としてどうなんだろう?」「いいでしょう、きっと」「いいかい」「やさしいし……」「そうか……そうだね」「あたし好きよ、ああいう方」「ふゥン。叔母さんがね、どうだろうって言うんだけど……」「何が?」「お前をさ、服部に」と、いきなり紀子が笑い出します。

「なんだい?」「お茶……お茶頂戴」「どうしたんだ」「だって服部さん、奥さんお貰いになるのよ、もうとうから決まってるのよ」「そうか……」と主人公は拍子抜けします。

映画『晩春』(1949年)のオリジナルポスター
出典:ウィキメディア・コモンズ

紀子が、まさが持ってきた見合い話の相手に会った後のアヤとのやりとりは、

「ふうん、どんな人だった?」「……」「どんなタイプよ」「……」「肥ってんの?」「ううん」「じゃ痩せっぽち?」「ううん」「じゃ、どっちさ」「学生時分、バスケットボールの選手だったんだって……」「ふゥん。好い男?」紀子は笑っています。

「どんな人よ」「叔母さんはゲーリー・クーパーに似てるって云うんだけど……」「じゃ凄いじゃないの」「でも、あたしは家にくる電気屋さんに似てると思うの」「その電気屋さん、クーパーに似てる?」「うん、とてもよく似てるわ」「じゃ、その人とクーパーと似てるんじゃないの! 何さ!」というものです。紀子の満更でもない気持ちが短いセリフのやりとりに溢れています。

この紀子とアヤのやりとりから、紀子が結婚を承諾するまでが、マエストロ映画の「**20枚**」です。手元のシナリオだと23枚ぐらい、時間にすると8分の部分です。

鎌倉の家では、まさが今日こそ見合いの返事を聞こうと紀子の帰りを待っています。そして、紀子が見合い相手の名前を気にしてるんじゃないかと言い出します。見合い相手の名前は佐竹熊太郎。さらに、もし紀子が結婚したら何て呼んだらいいんだろう、熊太郎さんだと山賊みたいだし、熊さんだと八っさんみたいだしという話をし「だから、あたし、クーちゃんていおうと思ってるんだけど……」「クーちゃん？」

ここで紀子が帰ってきます。一変して笑顔はなく2階に上がっていきます。まさが見合いの返事を尋ねると、紀子は「ええ……」と答えます。「行ってくれるの？」「ええ……」「ありがとう！　あちらへそう、お返事するわよ！」となって、まさは、そそくさと帰り支度をします。

玄関口で「やっぱり、がま口拾ったのがよかったのよ」と胸元を叩きます。主人公が「ああ、あれ届けとけね」と言うと「大丈夫よ、届けるわよ」と帰っていきます。

この後、降りてきた紀子に主人公が「いやいや行くんじゃないんだね？」と念を押すと、「そうじゃないわ」と紀子は腹立たしげに立ち去ります。それを見送って1人になった主人公は何とも寂しげな孤独な顔を見せます。

セリフとは離れますが、結婚式から帰った主人公がリンゴをむき始め手が止まって、ガックリうなだれる。まさに「クライマックスは無である」のシーンと、それに続く海のシーンは起承転結の転結のお手本として、是非是非、セリフの極意とともに参考にしてみてください。

◆『晩春』1949年日本映画　監督：小津安二郎　脚本：野田高梧　小津安二郎　原作：広津和郎　出演者：笠智衆　原節子　杉村春子　上映時間：108分

『十二人の怒れる男』が教えてくれる

個性あるセリフはキャラクターが喋る！

たとえば**登場人物が5人**いるとします。当たり前ですが、5人は、それぞれ別人です。

ということは**5人とも行動もリアクションもセリフも、みんな違うはず**です。

特にセリフ。どんなことを言うか、どういう言葉使いで、どういう喋り方をするか、5人とも、まったく別々のはずです。でも、どの人物もなんとなく似通ったセリフになってしまっている人が多いのではないでしょうか。試しにセリフのかぎかっこの上の人物名を隠してみてください。それでも自分以外の人が読んで誰のセリフなのか分かりますか？

作者は自分一人です。なので、どうしても自分のセリフになってしまいがちです。ここがシナリオの難しいところであり、でも楽しいところでもあります。

作者が登場人物に無理矢理セリフを言わせるのではなく、**登場人物自身が自然にセリフを喋るイメージが**持てると、**キャラクターならではの生き生きした個性あるセリフ**に変わってきます。登場人物が自分で勝手に喋りだすような感覚を経験したことがある人もいると思います。登場人物は現実に存在するわけではないので、実際には自分で喋り出すわけではありません。でも、そう思えるぐらい自分では思いつかないような個性あるセリフが次から次へと浮んでくるのです。

そのためには**登場人物のキャラクターを、はっきりくっきり明確に**してみてください。

登場人物が5人いたら5人とも、**性格も好き嫌いも、考え方も感じ方も、生まれや育ちや境遇も**、何もかも違います。

できるだけ違うように違うように、それぞれのキャラクターを考えてください。違えば違うほど登場人物と登場人物がぶつかりやすくなります。人物と人物がぶつかればぶつかるほどドラマが生まれ観客や視聴者は、どうする？　どうなる？と引きこまれます。つまり「面白い」と感じてくれるわけです。

そして、5人のキャラクターが違えば違うほど5人それぞれの個性あるセリフが浮びやすくなります。

12人の陪審員がセリフをぶつけ合う

ここでのマエストロ映画は『十二人の怒れる男』です。プエルトリコ人の少年を父親殺しの被告人とする裁判の検察側と弁護側の尋問がすべて終わったところから映画は始まります。陪審員たちが裁判長から「評決は全員一致であること」「評決が有罪の場合、裁判所は情状を酌量しない。当然、死刑の宣告となる」と告げられ陪審室に移動します。

陪審員は12人。この12人が、どのように議論し、どのような評決を出すのかが描かれます。しかも描かれる場所は、前半三分の一ぐらいに隣のトイレのある部屋が一度だけありますが、それ以外は陪審室だけ。ひたすら12人の登場人物が、それぞれのセリフをぶつけあい見応え十分です。

12人の陪審員は、まさに性格も好き嫌いも、考え方も感じ方も、生まれや育ちや境遇も、何もかもまったく違うキャラクターとして描かれています。

陪審員1番は高校のフットボールのコーチで陪審員長を務めルールを重視します。陪審員2番は銀行員で自分の意見を主張するより中立を保とうとし、「興味深い」が口癖。

陪審員3番は宅配会社の叩き上げ経営者。つねに自分が正しいと思っている上から目線タイプで、自分の考えを人に押しつけ、反論されると興奮して罵倒したりします。

陪審員4番は株式仲買人。クールで事実の積み重ねだけを理路整然と話そうとします。

陪審員5番はスラムで生まれ育った工場労働者で、優しいが引っ込み思案。陪審員6番は真面目な性格の塗装工の労働者で年上を敬います。陪審員7番はセールスマンで、その日のヤンキースの野球観戦に間に合うかどうかだけを気にしている無責任で子どもっぽい性格。

陪審員8番は建築士でヘンリー・フォンダ演じる主人公。つねに慎重で「人は間違えることがある」を信条とし、思慮深い性格。

陪審員9番は職業不詳の老人。客観的に人間を観察し、そこから感情を推し量ります。

陪審員10番は自動車修理工場の経営者で差別と偏見を根強く持っています。陪審員11番はドイツから移民してきた時計職人で、責任感が強く誠実。陪審員12番は広告代理店に勤務し、人当たりはいいが優柔不断です。

キャラクターらしい発言

最初の投票では11人が有罪に挙手し、無罪は主人公の8番一人です。1番から順番に考えを述べていくことになります。

8番が「もし検察側の二人の証人が間違っていたら?」と言い出すところからが、マエストロ映画の**「20枚」**です。

広告代理店の12番は「間違うって、どういう意味だ?」と反論を試みますが「人間なら間違いはあり得る」と8番に言われ「いや、ないね」「ほんとに?」と突っこまれると「科学みたいに厳密じゃない」と、すぐに引き下がります。

すると3番の上から目線男が横から割りこみ凶器のナイフについて話そうとし「待って、まだ発言していない人が……」と言いかけた2番の銀行員を「黙ってくれ」と遮ります。

8番の主人公がナイフの実物を求め、1番の陪審員長が廷吏に指示します。

クールな4番が「では事実を一つずつ詰めよう」と「1、少年は夜8時、父親からビンタをくらい家を出た」と言います。すると生真面目な6番が「ビンタじゃなくパンチだ」と訂正します。4番が「2、彼はまっすぐ近くの古物商へ行き……」と言葉につまると、隣の優しい5番が「ナイフを買った」と助け舟を出します。「3、8時45分、彼は酒場の前で数人の友達と会った」「4、法廷で殺人の凶器が、そのナイフだと確認した。5、少年が10時ごろ帰宅」と順番に話していき、「少年がナイフを落とし、そのナイフを誰かが拾って少年の父を刺しに行ったと?」と8番に問いかけます。

「可能性はあると思う。似たナイフで他人が刺した」

と言われると、ナイフをテーブルに突き立て「珍しいナイフだ。店の主人さえ初めて見たと言った。それでも偶然があり得ると？」と詰問します。「可能性はある」と答える8番に、上から目線男の3番が「あり得ないな」と決めつけます。

すると8番の主人公はポケットからナイフを出しテーブルに突き立てます。凶器のナイフとそっくり同じです。陪審員たちが立ち上がり騒然となります。

1番が着席をうながします。2番の銀行員が「同じナイフがあったとは興味深い」と言うと、3番の上から目線男に「何が興味深いんだ？」と威圧され、「そう思っただけさ……」と。7番の無責任男は「こうなりゃカードでもして、じっと耐えるこった」と歌ってふざけます。自分本位な10番は「ナイフの件は関係ない」「おれの工場は火の車なんだ。早く片付けろ」と怒鳴り、責任感の強い11番に「ナイフの件は検事も時間をかけた」と指摘されると「下っ端の検事補だ」と言い放ちます。

ここで8番の主人公が自分以外の11人で無記名投票し、有罪が11票なら有罪の評決を出そう、しかし、ひとりでも無罪の者がいたら話し合いを続けようと提案します。

それぞれ投票し1番が開票していきます。すると無罪が1票だけあります。

10番が「誰なんだ、知りたいな」と言い出すと、責任感の強い11番が「無記名投票で全員同意した。投票の秘密は守ろう」と言います。すると上から目線の3番が「誰だか分かっている」と、優しくて気弱な5番が無罪に投票したと決めつけます。さすがの5番も「なぜ私にそんな口をきく」と反発します。ますます3番が興奮し怒鳴り散らしながら、5番に「なぜ無罪にした」と詰め寄ります。

「彼じゃない。わしだよ」と9番の老人が初めて口を開きます。有罪の確信がないという8番が誰かの支持を求めた、それに応じたのだと理由を説明します。これまで陪審員たちのやりとりを客観的に観察していたことをうかがわせます。

1番が「休憩しよう」と言って10分弱、ペラにしてほぼ20枚です。

5人どころか12人が、それぞれ**キャラクターならで**

はのリアクションとキャラクターならではの個性あるセリフをぶつけあっているのが分かります。

このあと主に8番の主人公と3番の上から目線男の対立に、クールな4番や9番の老人が加わり、ほかの陪審員たちも絡んで無罪の評決へと変化していくストーリーはシンプルです。**キャラクターとキャラクターのぶつかり合いこそがドラマであること**を改めて実感させてくれます。

◆『十二人の怒れる男』1957年アメリカ映画（日本公開1959年）監督：シドニー・ルメット　原作・脚本：レジナルド・ローズ　出演者：ヘンリー・フォンダ　リー・J・コッブ　エド・ベグリー　上映時間：96分

『用心棒』が教えてくれる
シャレードで説明セリフをなくすワザ！

シャレード、使っていますか？

シャレードって何だったっけという方のために、新井一著『シナリオの基礎技術』から引用すると「一つのもの（小道具、動作等）を見せることで、その背景や陰にあるものを、そのものズバリと的確に表現する技術」です。説明だと分かりにくいので**実例**を。

ワンルームのキッチンで圭子が料理をしています。ピンポーン。はーい。ドアを開けると信司が入ってきます。信司はジャケットを着たまま所在なげに立っています。「ジャケット脱いで、そこのソファでゆっくりしてて」、信司が脱いだジャケットを圭子が受け取り、ハンガーにかけます。これで圭子の部屋に信司が訪ねるのは初めてか多くても2度目ぐらい、二人の関係もそれぐらいだろうなと伝えることができます。

ピンポーン。はーい。ドアを開けると信司が入ってきて、ジャケットを脱ぎ自分でハンガーにかけます。これだと圭子の部屋に信司は何度も来たことがある、二人の関係もそれなりに進んでいることが分かります。信司がソファに寝転んだり勝手に冷蔵庫からビールを出して飲んだりすると、かなり入り浸っているでしょう。

ジャケットという小道具と動作で、圭子の部屋に信司が訪ねてきた頻度や**二人の関係性といった背景を、そのものズバリ、的確に表現**しているわけです。

これを**セリフで伝えようとすると、言わずもがなの説明セリフになってしまいます**。「初めて圭子さんの部屋に来て緊張してます」なんて言わせたら、目も当てられません。

『用心棒』のシャレード

マエストロ映画『**用心棒**』でもシャレードが使われています。

映画が始まるとすぐ、こんなシーンがあります。主人公である浪人者（三船敏郎）が宿場町にやって来ます。どの家も戸を閉めきり、通りには人っ子一人いません。ただ空っ風が吹いているだけ。小さな野良犬が歩いてきます。その口に切り落とされた人間の手首がくわえられています。

この野良犬が手首をくわえているシャレードで、この宿場町は刃傷沙汰が絶えない危険地帯であることを伝えています。やくざの跡目争いで清兵衛と丑寅という二人の親分が対立抗争しているのですが、この宿場町を舞台に主人公がやくざを壊滅すべく策略をめぐらし大暴れするアクション時代劇です。

主人公は、形勢不利な清兵衛に用心棒として売り込み、「腕は今、見せる」と丑寅の手下三人をアッという間に斬って見せます。主人公を雇い強気になった清兵衛は、丑寅に殴りこみをかけることに。しかし、主人公は清兵衛と手を切り用心棒を降りてしまいます。今度は丑寅たちが勢いづき一触即発に。主人公は、やくざ同士を相撃ちにして両方にダメージを与えようとしたのですが、ここで八州廻りの役人が見まわりに来るという知らせが来ます。やくざたちは役人の手前、一時休戦して何事もなかったかのように平穏を装います。

ここからがマエストロ映画の「**20枚**」となります。

宿場町の家の戸が開け放たれ、窓の灯りが見えます。名主である絹問屋の多左衛門の家の前に八州廻りの籠が置かれています。

主人公が「親父、八州廻りといやあ大した身分でもねえのに豪勢な籠だな、え？」と笑いながら飯屋の窓から多左衛門の家の様子をうかがっています。宿場町の番太が八州廻りの手下たちに茶のふりをして酒を振る舞ったり、多左衛門から渡された袖の下を配ったり、造り酒屋の徳右衛門が丑寅に角樽の酒を持たせてやってきたと思ったら、清兵衛が女郎を連れてきます。丑寅の後ろ盾が徳右衛門、清兵衛の後ろ盾が多左衛門ですが、敵味方もなく一緒になって八州廻りを接待しているのです。

主人公が「なるほどねえ、これじゃあ八州廻りの籠が豪勢なのも尤もだ」と笑います。

今度は飯屋に丑寅の弟の亥之吉と清兵衛の女房おりんがやって来て、「水臭いねえ、お酒ならウチで飲めばいいのに。さ、行きましょ」「俺たち今、一杯やろうとしてたんだぞ、な？　おい、酒じゃんじゃん、つけてくれ」「一番いいやつだよ。勘定は私が払うからね」と主人公の争奪戦が始まり、「このアマ！」「何さ！」と亥之吉とおりんが主人公をはさんで睨み合います。

次のシーンは宿場町に雨が降っている情景です。清兵衛の絹問屋の入口下に**八州廻りの籠が置かれたままです。このシャレードで八州廻りが居続けていること、つまり休戦状態が継続していることが伝わってきます。**

飯屋では隣の棺桶屋が酒を飲んでいます。主人公が来て「ヤケ酒か？」と言います。この宿場町で唯一繁盛していた棺桶屋が、休戦状態が続いて暇になってしまったのです。

丑寅が主人公を訪ねてきます。棺桶屋と飯屋の親父を追い出すと、十里ほど向こうの宿場で町役人が殺されたから八州廻りは明日出て行くと言い、「前金三十両、喧嘩に勝ったら、あと三十両。すぐ来てくれ」と言います。しかし主人公は「とにかく俺の売値が決まるのは八州廻りが出て行ってからだ」と断ります。

丑寅が飯屋から去ると棺桶屋が戻ってきますが、主人公に「桶屋、喜べ。八州廻りが明日出て行くぞ」と言われ、「え？　そりゃ本当かね！」と引き返していきます。飯屋の親父が「丑寅の奴は何しに来やがった」と入ってくると隣から棺桶を作る音が聞こえてきます。「畜生、また始まるのか、人殺しが」「そうらしいな」

これで、ほぼ10分、20枚です。

八州廻りの籠のシャレードによって状況の変化を伝え、それに振り回される人たちをユーモラスに描いています。

このあと宿場町は戸を閉ざし人っ子一人いない状態に戻ります。清兵衛と丑寅の対立が激化する一方、主人公は徳右衛門の妾を逃がし亭主と子どもの元へ戻してやりますが、それがバレて丑寅に捕らえられ、半殺しにされてしまいます。ついに清兵衛一派を皆殺しにして宿場町を手に入れた丑寅に、主人公が立ち向かっていきクライマックスを迎えます。

ハードボイルドの名作ダシール・ハメット『血の収穫』を下敷きにしたと言われていますが、ストーリーとしてはありがちです。しかし、今まで観たことがない新鮮なシーンばかりです。シーンを面白くする技術こそが思わず引きこまれずにはいられないシナリオを生み出すことを再認識させてくれます。

◆『用心棒』１９６１年日本映画　監督：黒澤明　脚本：黒澤明　菊島隆三　出演者：三船敏郎　仲代達矢　山田五十鈴
上映時間：１１０分

『アパートの鍵貸します』が教えてくれる

小道具を使えばシナリオが上手くなる！

絶対にシナリオが上手くなる方法があったら、やりたいですか？

そりゃあ、やりたいですよねえ。でも、そんな方法なんてあるの？　あるんです。しかも、すぐに実行できる簡単な方法です。**それは、小道具を使うこと**。

ストーリーではなく小道具を考えてみてください。まず、**どんな小道具を使うのか？**　ネタは無尽蔵です。周りを見回してください。小道具として使えるものがゴロゴロ転がっています。今、私が座っている周りだけでも、万年筆、コースター、ティッシュケース、キャンドル、クリップ、扇風機、洗濯ばさみ、ハンガー、アイロン、リュック、合気道の胴着などなど軽く100ぐらいはあるでしょう。

それぞれの小道具で、いろんな使い方が考えられます。**こんな使い方をすれば、こんなことを伝えられるぞ**、と考えてください。小道具の数かける使い方の数だけ伝わることが増えていきます。それだけ**セリフやナレーションや回想シーンで説明しなくてもよくなります。映像で描写し、映像で伝える力がついていきます**。

また、あれこれ考えていくと**本来の用途**（たとえばハサミなら何かを切る）**とは違った**今まで観たことがない使い方が浮んだりもします。今まで観たことがない小道具の使い方はシーンを格段に面白くしてくれます。

小道具を使えば、考えれば考えるほど面白いシナリオが書けるようになる、つまりシナリオが上手くなるのです。

『アパートの鍵貸します』は小道具の宝庫

マエストロ映画『アパートの鍵貸します』は、どんな小道具をつかっているでしょうか。

保険会社に勤める主人公バクスター（ジャック・レモン）は、エレベーターガールのフラン（シャーリー・マクレーン）に思いを寄せデートに誘いますが、なかなか上手くいきません。一方、人事部長にアパートの部屋を不倫相手との密会場所として貸して出世します。しかし、その不倫相手がフランだと分かり……というコメディータッチのラブストーリー。

　とにかく小道具の使い方のデパートのような映画です。

　まずは主人公が人事部長の部屋に呼ばれます。主人公は前夜、鍵の取り違えから寒空の中、部屋を締め出されて風邪を引いてしまい、点鼻薬をさしています。昇進を言い渡されるのかなと期待していましたが、人事部長に管理職の評価が高いのは、君がアパートの部屋を貸して点数稼ぎをしているからだ、と指摘されてしまいます。

　図星を指され動揺した主人公は、思わず**点鼻薬を握りしめピューッと飛ばしてしまいます**。点鼻薬という小道具を使ってシーンをユーモラスにしています。また、**主人公の感情を伝えて**います。感情が伝わらなければ観客や視聴者は感情移入できません。感情移入すればするほど面白いと感じてくれます。感情を伝えることが面白いの第一歩なのです。

　人事部長にアパートの部屋を貸すことで昇進した主人公は、個室オフィスを与えられるのですが、そこに人事部長が訪ねてくるところからがマエストロ映画の「**20枚**」です。

　主人公が人事部長に「女性の忘れ物です。ソファに落ちてた」とコンパクトを渡します。「鏡が割れてます」と言うと、人事部長はコンパクトを開きます。鏡が大きく割れていて「私に投げつけてね」「ひどいだろ」と自嘲して人事部長は去っていきます。

　クリスマス・イブの日。社内はクリスマスパーティーで大騒ぎしています。

　主人公はエレベーターガールを個室オフィスに招きます。「君の意見が聞きたい」と買った帽子を被って見せます。「似合わない？」「すてきよ」とエレベーターガールは自分で見てみればという感じで、主人公にコンパクトを渡します。主人公がコンパクトを開くと鏡が割れた、あのコンパクトです。

ショックで呆然の主人公が、ドンチャン騒ぎの社内を肩を落として去っていって10分弱、およそ20枚です。
コンパクトという小道具を使って、人事部長の不倫相手が実はエレベーターガールであることを知らせて**主人公を困らせて**います。主人公を困らせると観客や視聴者は、どうする？　どうなる？と引きこまれます。

ジャック・レモン（左）とシャーリー・マクレーン（右）
1960年　出典：ウィキメディア・コモンズ

もちろん「実は人事部長のお相手ってね」などとセリフで知らせることもできますが、**説明セリフ**になります。人事部長とエレベーターガールが会っているところを主人公が目撃しても構いませんが、何かどこかで観たことがあるような、**ありがちなシーン**になってしまいます。

時間経過を表す小道具

時間経過を小道具で知らせている使い方もあります。

人事部長の不倫相手がエレベーターガールと知り落胆した主人公は、バーでカクテルを飲んでいます。おかわりを受け取ってオリーブを刺した**カクテルスティック**をカウンターに並べます。スティックは７本目。７杯目のカクテルを飲んでいることが分かります。向かいの席にいた、ちょっと変わった女に声をかけられます。

一方、主人公のアパートの部屋では、人事部長とエレベーターガールが揉めています。揉めながらもエレベーターガールはクリスマスプレゼントを渡します。レコードです。ところが人事部長はプレゼントを用意しておらず、「この100ドルでワニ革のバッグでも」と現金を渡します。そして、妻と子どもへのプレゼントらしい包みを抱えて、そそくさと帰っていきます。

エレベーターガールは人事部長が置いていったプレゼントのレコードをプレーヤーにかけ、泣きながら洗面所へ行きます。そこで睡眠薬の壜を見つけます。

バーでは主人公とちょっと変わった女が踊っています。カウンターには13本のカクテルスティックが並んでいます。つまり6杯飲むだけの時間が経過したということです。二人は店を追い出され、主人公のアパートの部屋に向かいます。

主人公が部屋に入ると、レコードの音はせずプレーヤーの針が終わりのところにとどまっています。つまり**レコードが片面終わったぐらいの時間が経過した**ということです。また、レコードが終わっているのに誰も針を上げていないということでもあります。主人公はベッドで倒れているエレベーターガールを発見します。脇には空になった睡眠薬の壜が落ちています。

回想シーンの代わりの小道具

テニスのラケットを本来の用途ではない使い方をしています。

自殺未遂を起こしたエレベーターガールを介抱しつつ、再び自殺しないように見張ることになった主人公は、エレベーターガールとアパートの部屋で一緒に過ごすことになります。

主人公がエレベーターガールのために料理を作るのですが、茹でたパスタの湯を切るときにテニスラケットを使うのです。今まで観たことがないテニスラケットの使い方で思わずシーンに引きこまれます。

その後、人事部長は離婚することになりエレベーターガールとのよりを戻します。主人公はさらに昇進しますが、再び人事部長にアパートの鍵を貸すよう言われたのを断り、降格をちらつかされると、自ら会社を辞めてしまいます。もうアパートも引き払おうと荷造りをしているとテニスラケットが出てきます。1本残っていたパスタを取ってクルクルと指に巻きつけ見つめます。主人公がエレベーターガールに料理を作った時のことを思い出していることが伝わってきます。

もちろん、ここで回想シーンを入れてもいいのですが、テニスラケットの小道具を使ったほうが、はるかにカッコイイと思いませんか？　このような前に出てきたシーンを、もう一度、繰り返すパターンの回想や、前に話されたセリフを、もう一度、聞かせる声だけの回想の場合、小道具を考えることで使わなくて済みますし、小道具を使ったほうがシーンとして格段に面白くなります。「回想」を使うのであれば、ぜひ小道具を考えてみてください。

◆『アパートの鍵貸します』1960年アメリカ映画　監督・脚本・製作：ビリー・ワイルダー　出演者：ジャック・レモン　シャーリー・マクレーン　フレッド・マクマレイ　上映時間：120分

『我等の生涯の最良の年』が教えてくれる
面白いシナリオの大前提は映像の意識！

シナリオは読者が読むものではありません。そんなの百も承知だよと思われるかもしれません。でもでも、シナリオを書いているとき、**ついつい文章を読ませるイメージになっていませんか？　シナリオを読むとき、小説を読むのと同じように文章を読んでいませんか？**

映画やドラマなどの映像を観る場合、観客や視聴者は何もしません。ただ、座っているだけです。映像は勝手に流れていきます。まったくの受身です。映像が流れるスピードも基本的にはコントロールできません。自分の意思や理解度とは関係なく次へ次へと間断なく進んでいくわけです。しかも具体的なイメージは、すでに作り上げられています。観客や視聴者にとっては他人が作った他人の世界です。なかなか自分から自然に入ってきてくれるというわけにはいきません。入ってきてくれるように仕向ける工夫が必要になります。

どんな工夫かというと、**観客や視聴者が感情移入するように仕向ける**のです。感情移入すればするほど観客や視聴者は、より引きこまれ「面白い」と感じてくれます。

映像で観客や視聴者を感情移入させることを、どれだけ意識できるかで、面白いシナリオを描けるようになるかどうかが決まってくる、と言ってもいいでしょ

ピアノを弾いているのがホーギー・カーマイケル。(左から右へ)フレドリック・マーチ、マーナ・ロイ、ダナ・アンドリュース、テレサ・ライト。１９４６年。出典：ウィキメディア・コモンズ

う。この章で解説してきた**小道具の使い方**もその一環なのです。

文章表現と映像表現との違いは基本の「き」です。

しかし、これがしっかり押さえられているかどうか、映像のイメージがしっかり身についているかどうかが、面白いシナリオを書く大前提となるのです。

社会派ドラマならどうするか

マエストロ映画『**我等の生涯の最良の年**』で、考えていきましょう。

第二次世界大戦直後、戦場からアメリカに帰ってきた復員兵3人が、それぞれ家族や夫婦、恋人との関係、仕事の問題に直面していく社会派ドラマです。

アル・スティーブンソン（フレドリック・マーチ）、フレッド・デリー（ダナ・アンドリュース）、ホーマー・パリッシュ（ハロルド・ラッセル）が、ブーンという街に向かう輸送機に偶然乗り合わせます。

アルは元銀行員で妻と娘のペギー、息子の4人家族。裕福なアパートで暮らしていました。自分がいない間にすっかり成長した子どもたちにギクシャクしてしまいます。特に、自分が敵として戦ってきた日本人に好意的で原子力の武器利用に批判的な息子とのギャップを感じます。家族もまた、いきなり帰ってきた父親に戸惑います。また、アルは「軍人を理解できる者が必要だ」と言われ、小口融資部門の副頭取に昇進して銀

行に復職しますが、実際に復員兵に融資するには担保が必要という現実の壁があります。

フレッドは飛行訓練中に結婚した妻がいます。ナイトクラブに勤めていた妻は、いくつも勲章を授かったフレッドを最初は友人たちに自慢していました。しかし、望むような仕事が見つからず、仕方なく出征前にソーダ売りをしていたドラッグストアで働くことになるフレッドに失望します。妻から気持ちが離れたフレッドもアルの娘ペギーに心魅かれていきます。ペギーもフレッドを愛するようになりますが、アルに娘と会わないでほしいと迫られたフレッドは、二度と会わないと約束しペギーに電話します。

ホーマーは戦場で両手の肘から先を失い義手をつけています。隣家に結婚を誓った恋人がいます。義手でも器用にマッチを擦り煙草に火をつけて見せたり、アルやフレッドの前では明るく陽気に振る舞うのですが、恋人の変わらぬ愛情を哀れみと受け止めてしまい心を閉ざしてしまいます。

アルのドラマはホームドラマとして、フレッドとホーマーのドラマはラブストーリーとして描かれているのも、観客や視聴者を感情移入させる工夫になっています。

『我等の生涯の最良の年』は、あくまで社会派ドラマなのですが、社会派ドラマは、取り上げられた題材に関心があったり、同じ境遇の観客や視聴者には感情移入できても、題材に興味がなかったり、共通する経験がない観客や視聴者には感情移入しにくくなります。

それを**ホームドラマやラブストーリーとして描くことで、より多くの人が感情移入しやすくなります**。家族という存在は、ほとんどの人が身近に感じることができます。片思いを含めれば人を好きになったことがないという人は、まったくいないわけではありませんが、少ないでしょう。それだけ観客や視聴者が登場人物に自分を重ねやすくなるのです。

小道具が効果的な2つのシーン

注目してほしいシーンが2つあります。

ひとつはホーマーが**義手でガラスを突き破るシーン**です。

ホーマーが物置にひとりこもって射撃の練習をして

いると恋人が入ってきます。結婚したいと何度も手紙に書いてきてくれたことや、今も変わらず愛していると恋人が話をしていると、窓の外にホーマーの妹と友だちが覗いているのが見えます。妹は、ただ兄と婚約者に興味があっただけです。

しかしホーマーは「義手が見たいか」「ゾッとしたいんだな」とドアを開けようとしますが、上手く開けられず「見せてやる！」と窓ガラスに両手の義手を突き出して割ってしまうのです。

「そんなつもりじゃ……」と泣き出す妹にホーマーは、すぐに「ごめんよ、リュエラ。お前は悪くない」と謝ります。泣きながら去っていく妹を見て、自己嫌悪に陥るホーマーに恋人は寄り添おうとするのですが、ホーマーは「僕の問題だ」と撥ねつけ恋人は走り出ていってしまいます。

ホーマーの気持ちが痛いほど伝わってきて胸が締めつけられます。感情移入せずにはいられないシーンです。

もうひとつは、**フレッドが飛行場の戦闘機解体現場に行くシーン**です。ここがマエストロの映画の「**20枚**」です。

妻と離婚することになり、ブーンの街を離れようと決心したフレッドがアパートを出て行こうとして、アルの娘ペギーと自分が並んで映っている**写真**を見つけます。一度は二人のところだけを切り取って持っていこうとするのですが細かくちぎって捨ててしまいます。

フレッドは両親の家に寄り荷造りします。父親がフレッドが授与された**勲章の説明書**を持ってきます。フレッドは「捨ててくれ」と言いますが父親は「私が大切にとっておく」と言います。

飛行場に着いたフレッドは夜の飛行機まで時間を潰すことになります。

家では父親が勲章の説明書をフレッドの母親に読んで聞かせます。最大級の賛辞で戦場でのフレッドを褒め称えています。

フレッドは戦闘機の解体現場を歩きます。夥しい数の不要になった戦闘機がバラバラにされ並べられています。自分が乗っていた**B17爆撃機の残骸**を見つけ機内に乗りこみます。戦場を思い出したのかフレッドの顔から汗が噴き出し動かなくなります。

解体現場の責任者に声をかけられ我に返ります。「どうせ全部ゴミになるんだろう」と言うと「いいやプレハブに再利用する」と。フレッドは思わず、ここで働かせてくれと頼みこみ責任者も受け入れてくれます。

これで約10分弱、およそ20枚です。

写真の小道具の使い方が巧みですし、勲章の説明書と墓場のような戦闘機の解体現場の対比が圧倒的です。ぜひ、映像で観客や視聴者を感情移入させる参考にしてください。

◆『我等の生涯の最良の年』１９４６年アメリカ映画（日本公開１９４８年）監督：ウィリアム・ワイラー　脚本：ロバート・E・シャーウッド　原作：マッキンレー・カンター　出演者：マーナ・ロイ　フレドリック・マーチ　ダナ・アンドリュース　テレサ・ライト　上映時間：１７２分

錬金術の極意5

第6章

カットバック、サスペンスで目が離せなくなる

『死刑台のエレベーター』が教えてくれる
カットバックで発想が広がる！

同一シーンの短い時間経過を描くとき、「×××」を使う人が、とても多いのですが、そこを「**カットバック**」にしてみてください。カットバック、覚えていないという方も簡単です。**何か別の場所のシーンをはさめばいいだけ**です。それだけで映像の意識が高まり、表現の引き出しも増え、さらには発想も広がります。

たとえば、会議が始まり主人公が張り切って司会進行をしているシーンがあります。時間経過があって、会議が行き詰まっているらしく参加者が肩を揉んでいたり欠伸していたり頬杖をついていたりして、主人公が冷や汗を拭っているシーンがあります。この時間経過のところに、どんな別の場所のシーンをはさめるでしょう?

空に暗雲が立ちこめてきて稲妻が走り雷鳴が響き始めれば、主人公に何か大問題が起こりそうな気がします。

ポカポカ陽気の公園で「お芋～焼き芋～」という焼き芋屋さんの声が聞こえてくればコメディタッチの雰囲気が出ます。

ビルの屋上にカラスが舞い降りてギャーギャーと叫ぶような鳴き声を立て始めれば不吉な予感がします。

はさむシーンによって、どんな違いが出るか、いろいろ試してみてください。考えれば考えるほど組み合わせは無限大に広がっていきます。

こんな組み合わせ方もあります。先の会議のシーンに、海で楽しそうに遊んでいる人たちのシーンをはさんだら、主人公があくせく働く虚しさが伝わるかもしれません。南の海でクジラがジャンプしているシーンをはさめば、主人公が小さな存在だと感じさせるかもしれません。

さらに、同じ時間、別の場所で誰が何をしているのか考えると発想が広がります。

主人公の家で妻が赤ちゃんにミルクをあげているシーンをはさめるかもしれません。上司が人事部と主人公を左遷させる話をしているシーンをはさめるかもしれません。主人公とは何の関係もない男が強盗事件を起こすシーンをはさんで、この男と主人公のどんなドラマができるか考えるのもありでしょう。

カットバックは、小説などでも使われていないわけではありませんが、映像でこそ極めて有効な表現方法です。しかもカットバックを使うとシナリオが上手くなります。これを使わない手はありません。「×××」とはサヨナラしましょう。

とことん洗練された映画

マエストロ映画をお手本に考えてみましょう。『死刑台のエレベーター』です。

フロランス（ジャンヌ・モロー）とジュリアン（モーリス・ロネ）は、フロランスの夫を自殺に見せかけて殺害しますが……というクライムサスペンスです。

フロランスのアップで映画が始まります。「もう耐えられない。愛してる。愛してる。だからやるのよ。愛してる。離れないわジュリアン」「愛してる」とジュリアンが答えます。二人は電話をしています。「今は君の声だけが頼りだ」「臆病なのね」「愛は臆病さ」。ここでモダンジャズの帝王マイルス・デイビスのトランペットが流れます。二人の会話の声は消えタイトルバックに。かっこいいです。ため息が出るほどかっこいいです。

幌が自動で開閉するシボレーのコンバーチブルとガルウイングのベンツの2台の車、ミノックスの小型カメラといった小道具などなど、何もかもが洗練されている映画です。

電話の後、ジュリアンは秘書に気づかれぬようロープで階上に登り、フロランスの夫を射殺します。拳銃はフロランスが持ち出した夫の拳銃です。自殺に見せかける工作をし、自分のオフィスに戻ると何食わぬ顔で退社します。

マエストロ映画の「20枚」は、ここからです。

花屋の前で店員の女の子と恋人の不良青年がいます。そこにジュリアンが来て路上駐車してあったシボレーに乗りこみます。その様子を花屋の女の子が憧れの目で見ながら、「特権階級かしら」「夢みたいな生活ね」と噂話をします。

ジュリアンがシボレーのエンジンをかけた時、ビルの上にロープが残されているのに気づきます。慌てて車を降り駆け出します。シボレーに花屋の女の子の恋人が近づきます。

ビルに走りこんできたジュリアンはエレベーターに乗りこみます。

エレベーターが上昇します。

管理人が、全員退社したと思い主電源を落とします。エレベーターが停止し電灯が消えます。当時のエレベーターには緊急時に外部と連絡が取れるインターホンのようなものはありません。ジュリアンは行き先階ボタンを押したりしますがエレベーターは動きません。

管理人がビルの出入り口のフェンスを閉め帰っていきます。

エレベーターでジュリアンはライターの火で腕時計を見て、ため息をつきます。

花屋の前では店員の女の子の恋人がシボレーに乗りこみます。仕事を終え花屋から出てきた女の子が止めますが、恋人はシボレーを発車させ女の子も慌てて乗りこみます。

恋人があれこれボタンを操作しているとワイパーや幌が動いたりして、女の子も楽しくなってきます。

フロランスがカフェでジュリアンを待っています。シボレーを見つけ立ち上がりますが、シボレーは通り過ぎていきます。助手席には花屋の女の子が。運転席が暗くて見えなかったためフロレンスは、ジュリアンが夫を撃てず花屋の女の子と逃げたと誤解します。

花屋の女の子はジュリアンのコートからミノックスの小型カメラを見つけ大はしゃぎします。さらにダッシュボードから拳銃を取り出します。「おもちゃじゃないぞ」と恋人が取り上げコートのポケットに入れます。

エレベーターではジュリアンが何とか脱出できないか探してネジをナイフで外そうとしたりしています。

カフェでは店員が椅子やテーブルを片付けています。フロランスは「電話なかった？　今夜は外で食事するから」と、おそらく自宅に電話をして店の外へ出て行きます。

これで約10分弱、およそペラ20枚です。

エレベーターやカフェの同一シーンの時間経過を、花屋の女の子と恋人のシーンをはさんでカットバック法で処理しています。

回想がないから小道具も際立つ

この後もエレベーターに閉じ込められたジュリアンと、ジュリアンを探して街を彷徨うフロランス、花屋の女の子と恋人が並行して描かれます。

特に花屋の女の子と恋人に注目です。あくまでメインはジュリアンとフロランスのドラマです。ジュリアンがエレベーターの底板に外れる部分を見つけコードのようなものにぶら下がると巡回警備員が主電源を入れてエレベーターが動いてしまうというシーンがあったり、フロランスが街を彷徨っていて警察に捕まるというシーンがあったりもします。

しかし、ジュリアンが閉じ込められたエレベーターから脱出できるか、二人は完全犯罪を成立させることができるかというドラマだけでは、行き詰まっていたはずです。

ジュリアンがエレベーターに閉じ込められた時、花屋の女の子と恋人がシボレーを盗むという発想の広がりがドラマを膨らませ、どうジュリアンとフロランスのドラマに繋げるのかという技術を参考にしてください。ちなみに、この映画も回想シーンがありません。

花屋の女の子と恋人が、恋人のコートに入っていたジュリアンの拳銃で殺人事件を起こし逃走します。その容疑がジュリアンにかけられ、エレベーターから脱出したジュリアンは逮捕されますが、ミノックスの小型カメラに花屋の女の子と恋人が殺人事件の被害者と一緒に写った写真があり、容疑は晴れます。

しかし、ミノックスの小型カメラにはフロランスとジュリアンが恋人である証拠の写真も入っています。その写真で二人の完全犯罪が崩れるのです。

現像液にフロランスとジュリアンが抱き合い、この二人が、こんな笑顔を見せるのかと意外なほど幸せそうに笑っている写真が浮かび上がります。

二人は映画の中では一度も会っていません。そして、一度も笑っていません。この写真でだけ二人は抱き合い、笑っています。あまりにも切なくて哀しい写真です。

フロランスとジュリアンのドラマと花屋の女の子と恋人を繋げたのは、小道具の技術なのです。そして、回想シーンがないからこそ、この写真が際立ちます。「×××」だけでなく回想シーンからもサヨナラしましょう！

◆『死刑台のエレベーター』1958年フランス映画　監督：ルイ・マル　脚本：ルイ・マル　ロジェ・ニミエ　原作：ノエル・カレフ　出演者：ジャンヌ・モロー　ローリス・ロネ　ジョルジュ・ブージュリー　上映時間：92分

『見知らぬ乗客』が教えてくれる
カットバックを意識するだけで見違えるほど面白くなる！

カットバック、使っていますか？　カットバックが入らないか考えてみるだけで、格段に面白いシナリオになっていきます。

たとえば、主人公が恋人を迎えに空港に行くが、爆発事件に巻きこまれて大怪我を負い、恋人には会えなかったというストーリーだとします。

どんなカットバックができるか、ちょっと考えてみてください。

空港に向かう主人公の動きに、テロリストが空港に爆弾を仕掛けていく行動をカットバックさせるというのが考えられますね。主人公が自宅を出て空港に出発する、テロリストが爆弾を隠して空港に入る、主人公が空港に近づく、テロリストが爆弾をセットする、主人公が空港に入ってくる、テロリストが立ち去り爆弾のカウントダウンが進んでいく、主人公が笑顔で到着ゲートに歩いていく、みたいな感じでハラハラドキドキ感が生まれます。

飛行機の機内で恋人が主人公に会うのを楽しみにし

ている様子を描いて、カットバックにすると、さらに盛り上がります。

爆弾を持っているテロリストが警備員のチェックを通り抜けられるかどうかをカットバックで入れるのもありかもしれません。

爆発事件で大怪我をした主人公が運ばれていくのと、主人公を探し回る恋人をカットバックにして、すれ違いを描くのもいいですね。

どうですか？　ほかにも、いろいろ考えられると思いますが、**カットバックを意識するだけでシナリオが全然違ってくる**のが実感できたのではないでしょうか。

カットバックをきっかけに、ああなって、こうなってとストーリーを書いているだけのレベルから一つでも二つでもレベルアップしてください。

〈起〉はドラマの前提ではなく始まり

取り上げるマエストロ映画はカットバック満載の**『見知らぬ乗客』**です。

テニス選手として活躍する主人公ガイ・ヘインズ（ファーリー・グレンジャー）は、汽車で見知らぬ青年ブルーノ・アントニー（ロバート・ウォーカー）から話しかけられます。主人公には上院議員の娘である恋人がいますが、妻が離婚に応じてくれません。そのことをブルーノは知っていて、主人公の妻を殺すから自分の父親を殺してくれと交換殺人を持ちかけてきます。主人公が応じないとブルーノは勝手に主人公の妻を殺し、父親を殺すよう執拗につきまとってきて……というストーリーです。

前半はジワジワと主人公を追いこんでいきますが、最初に主人公とブルーノが汽車で出会うシーンが描かれているのに注目して下さい。主人公の設定を説明するシーンがあってブルーノと出会わせるのではなく、**いきなりブルーノと出会わせ交換殺人を持ちかけられる**のです。起承転結の起を、ドラマの前提と勘違いしている人が多いのですが、そうではありません。起はドラマの始まりです。二人の出会いで、**いきなりドラマを始めている**のです。

次に注目してもらいたいのが、あまりに身勝手な妻が離婚に応じてくれず、激昂して恋人に電話をするシーンです。線路脇で汽車の音が近づいてきます。「首をへし折りたいよ」という主人公の声が恋人には聞き取れず、主人公が「絞め殺したいって言ったんだ！」と叫ぶのと汽車の轟音が重なります。音が上手く使われています。

ブルーノが主人公の妻を殺すシーンでは遊園地の楽しげな音楽が使われています。二人の男友だちを連れて主人公の妻が遊園地で遊ぶのをブルーノが尾行し、暗がりで男友だちと離れた隙に声をかけ、振り向いた主人公の妻の首をためらいもなく絞めます。淡々と殺人を行なう不気味さが楽しげな音楽によって際立ちます。

サスペンスを盛り上げるのに音というのは欠かせない要素です。

この後、ブルーノのストーカー行為がエスカレートしていきますが、有名なシーンがあります。主人公がテニスの練習のためにコートで順番を待っていて、ふとスタンドを見ます。観客たちはコート上のボールを追って右に左に顔を動かしていますが、**ひとりだけ顔を動かしていない男**がいます。真っ直ぐ主人公を見ているブルーノです。ゾクッとしますね。

カットバックの連続

そして、いよいよカットバックが始まります。マエストロ映画の「**20枚**」は、**この最初のカットバック**です。ブルーノが主人公の忘れ物のライターを殺人現場に置きに行こうとしていることが分かります。主人公を妻殺しの犯人に仕立て上げようというわけです。すぐにでも阻止しに行きたいのですが、主人公にはテニスの試合があります。ブルーノは日が暮れてからライターを置くはずだ、3セットで終わらせられれば間に合うと試合に臨みます。

試合が始まります。ブルーノも家を出ます。主人公は、いつになく積極的なテニスで攻めます。汽車に乗りこんだブルーノは主人公のライターで煙草に火をつけると隣の乗客から火を貸してくれと言われライターを隠してマッチで火をつけてやります。

主人公は2セット先取しますが、相手選手の反撃に合い劣勢に追いこまれます。駅に着いたブルーノは不注意でライターを排水口に落としてしまいます。

主人公が試合を盛り返します。ブルーノは人を呼ん

作品のポスター　1951 年
出典：ウィキメディア・コモンズ

できて排水口の格子を外してくれと頼みますが、すぐには外せないと言われ手を突っこみます。

主人公は、あと1ゲーム取れば試合に勝ちます。ブルーノの指先が一度はライターをはさみますが、また落としてしまいます。

主人公はマッチポイントを握っては追いつかれを繰り返します。ブルーノの指先はライターに届きそうで届きません。が、何とかライターを拾い上げ野次馬から急いで立ち去ると、主人公も何とか試合に勝利します。試合が始まってから、ここまでで約10分です。

実は、**この後もカットバックが続きます**。

試合を終え駅に急ぐ主人公と、それを追う刑事のカットバック。汽車に乗り遊園地に向かう主人公と、ブルーノが遊園地で日が落ちるのを待ったり、ボートの列に並んだりするカットバック。遊園地に着きブルーノを探す主人公と、張り込みの刑事たちと、ボートの列のブルーノのカットバック。とにかく**クライマックスまでカットバックの連続**なのです。

さらに**クライマックスでもカットバック**を使っています。主人公は逃げようとするブルーノを追って二人はメリーゴーラウンドへ。追ってきた刑事が発砲、メリーゴーラウンドの係員に当たったことから、メリーゴーラウンドが高速で回転し始めます。それを停めようと老係員が高速回転するメリーゴーラウンドの下に潜ります。ライターを出せと格闘になる主人公とブルーノ、パニックになる周りの人たち、下を進む老係員がカットバックされていくのです。

さあ、実際にカットバックを使ってみてください。どこをカットバックにしたらいいか分からない人は、時間経過の「×××」がチャンスです。「×××」のところに何かシーンをはさめないか考えれば、シンプルなカットバックが作れます。

そして、いつの間にかカットバックを考えるのが楽しくて楽しくてたまらなくなっているはずです。

◆『見知らぬ乗客』1951年アメリカ映画（日本公開1953年）監督：アルフレッド・ヒッチコック　脚本：レイモンド・チャンドラー　チェンツイ・オルモンド　原作：パトリシア・ハイスミス　出演者：ファーリー・グレンジャー　ロバート・ウォーカー　レオ・G・キャロル　ルース・ローマン　上映時間：101分

『恐怖の報酬』が教えてくれる サスペンスをかければグイグイ引き込める！

あなたが書いているシナリオに**サスペンスはありますか？**

え？　サスペンスって殺人事件の犯人を突きとめて解決していく話のことでしょ？

いやいや、確かにテレビの2時間ドラマで「サスペンス」という言葉が使われるので誤解されている方も多いのですが、本来のサスペンスは、ちょっと違います。**どうするんだろう？　どうなるんだろう？と思わせてハラハラドキドキさせること**です。

今まで「面白い！」と思った映画やドラマを観ている時のことを思い出してみてください。どうするんだろう？　どうなるんだろう？と引きこまれたはずです。つまりサスペンスを使えば（**サスペンスをかける**という言い方をします）、観客や視聴者に「面白い！」と思わせること間違いなしです。

では、サスペンスって一体どんなものでしょう？　サスペンスの神様と呼ばれるアルフレッド・ヒッチコック監督が、こんな例を話しています。

煙草に爆薬が仕掛けられています。**そのことを観客や視聴者は知っています**。でも、**主人公は知らずに**煙草に火をつけます。観客や視聴者は、うわ！　危ないぞ！となります。主人公が煙草を吸って火が進んでいくと、さらに緊張感が高まってハラハラドキドキします。これが**サスペンス**です。

一方、煙草に爆薬が仕掛けられているのを観客や視聴者も主人公も知らず、いきなりドカン！と爆発し観客や視聴者がビックリするのが**サプライズ**です。

たとえば、主人公と元彼が再会するシーン。主人公が婚約者と待ち合わせしている店に行ってみると元彼が偶然いて鉢合わせだとサプライズですが、主人公が向かっている店に実は元彼がいることを観客や視聴者に伝えておくと、主人公が店に近づけば近づくほど、うわ、会っちゃうよ、どうするんだろう？とサスペンスがかかります。

さらに**サスペンスとサプライズを組み合わせる**と、主人公が向かっている店に元彼がいる、どうする？どうなる？とサスペンスをかけて、主人公が店に着くと元彼の姿はなく、座っていた席を店員が片付けていて、元彼は帰ったのか、な〜んだ、と観客や視聴者に思わせます。そこに忘れ物を取りに戻った元彼と主人公がバッタリ！みたいな感じです。

このようにサスペンスはラブストーリーでも使えます。もちろんコメディでもアクションでも、お仕事ドラマや社会派ドラマなどなど、さまざまなジャンルで使えます。

一瞬たりとも目が離せない10分

マエストロ映画『恐怖の報酬』ではどうなっているでしょうか。

中米の辺鄙な町には、流れ着いた移民たちが職もなく溢れています。その中の一人、フランス人のマリオ（イヴ・モンタン）が主人公。油田で火災事故が起き、石油会社は大量のニトログリセリンを爆発させ爆風で火を消し止めようとします。危険物運搬専用の車両は用意する時間がなく、ほんの一滴たらしただけでもドカンと爆発するニトログリセリンを普通のトラック２台で運ぶことになります。高額の報酬で運転手に選ばれたマリオら4人が500キロ先の油田の火災現場に向かうというストーリー。

ハラハラドキドキのサスペンスはもちろんですが、極限状態で本性がむき出しになっていくドラマにも引きつけられます。特に最初は女とイチャイチャしてヘラヘラしているだけかと思っていた主人公が、後半、相棒を殴り「一番強いのは俺なんだ、分かったか」と吐き捨て、その後の原油の沼のシーンで相棒の足を轢いて渡っていく変化には、薄っぺらな善悪など吹き飛ばされます。

まずマエストロ映画の「**20枚**」から紹介します。マリオのトラックが山道の急カーブに近づいてくるところから、間一髪で崖下に落ちるのを逃れて急カーブを抜けるところまでの、およそ10分です。

マリオとジョーが二人組みで運転するトラックが山道の急カーブに近づくとドクロマークの標識がありま す。ジョーの表情が不安げに沈みます。

急カーブが見えてきます。道幅は狭く、崖の上に木材でテラスのように台が組んであって、その上で切り返さないと曲がれません。しかし、マリオとジョーがトラックから降りて台を見てみると穴が開いています。「諦めて戻ろう」と言うジョーに、マリオは「穴を避けてギリギリ端を通れば大丈夫だ」と主張します。「木材が腐っている」と言いながらナイフを刺し簡単に刃が通っていくのを見せ「スポンジみたいだ!」と叫ぶジョーを無視して、マリオはトラックをバックさせ始めます。「台の上が滑りやすくなっている」とジョーが引きとめようとすると、マリオがトラックを停め降りてきて口論になります。「狂ってるよ」「話に乗った時点で狂ってたさ」とマリオは強引に再びトラックをバックさせ始めます。

トラックがバックで進み、台の端に近づきます。後ろで誘導していたジョーが「止まれ、止まれよ」と言いますが、マリオは「まだ行ける」とバックさせ続けます。台の端に乗せてあったトロッコとトラックの間にジョーが挟まり「ストップ!」と叫んだ時、トロッコが崖下に落ちていきます。

マリオが慌ててトラックを停め降りてくるとジョーの姿がありません。木材の台から崖に飛び降り探しますが見つかりません。ジョーが被っていた帽子が落ちていたのを拾い、諦めて台の上に上ろうとすると、山道の上のほうへ逃げていくジョーを見つけます。「降りて来い」と呼びかけても、ジョーは振り向きもせず逃げていきます。

マリオは仕方なくひとりでトラックを動かし始めます。それをジョーは山道の上のほうから見下ろしています。木材の台が滑って、わずかな傾斜が上れません。タイヤが空回りし木材の台が軋みながら揺れます。マリオはタイヤに木の枝を噛ませて何とか乗り切ります。が、木材の台を支えるワイヤーをトラックに引っ掛けてしまいます。マリオは知りません。トラックを慎重に進めます。ワイヤーが引っ張られ接続部分が外れそうになります。なおもトラックを進めます。ついに接続部分が外れワイヤーが吹っ飛びます。山道の上で見ていたジョーが、もうだめだと頭を伏せます。木材の台全体が大きく揺れて崩れ落ちていきます。しかし、トラックはギリギリで山道に残っています。

トラックから降りてきたマリオが、木材の散乱する崖下を見下ろして汗を拭います。

食い入るように見つめてしまい、一瞬たりとも目が離せなくなってしまう10分です。

音の効果

もうひとつ注目して欲しいのが、道をふさいでいる落石をニトログリセリンを使って爆破するシーンです。このシーンも実は先行する二人組が落石に穴を掘り仕掛けを作っているところにマリオたちが追いついてから、落石を爆破し、みんなで立ちションするまでがほぼ10分、20枚になっています。

ここで**サスペンスを盛り上げているのが音**です。できるだけトラックを遠くに離すと、男のひとりが穴に挿した枝に少しずつ慎重にニトロを伝わせていきます。マリオたち三人はトラックのところで待っています。

ニトロを注ぎこむ男の呼吸が荒くなっていきます。一方、トラックのところではマリオがマッチを指ではじき、一人は煙草をかじり、一人はトラックのドアを指で叩きます。ニトロをゆっくりゆっくり注ぎこむのと、マッチや煙草やドアの音が交互に重なり合って引きつけられます。

ほかにも音が効果的に使われています。

たとえば、運転手の応募に集まってきた男たちにニトログリセリンの危険なことを伝えるためニトロを一滴だけこぼして爆発させるのですが、爆発するところは映らず爆発音と男たちのリアクションだけが映ります。

トラックで走り出す時も一発でエンジンがかからなかったり、街中を走るときのサイレンや、トラックのスピードを上げると何か変な音がしたりなどなど音がサスペンスを盛り上げていきます。

サスペンスを身につけることで、ストーリーを上手くまとめるのではなく**シーンで引きつけよう、そのためにはディテールを工夫しよう**と意識を変えてみてください。

◆『恐怖の報酬』1953年フランス映画（日本公開1954年）監督・脚本：アンリ＝ジョルジュ・クルーゾー
出演者：イヴ・モンタン　シャルル・ヴァネル　上映時間：131分

『チャンプ』が教えてくれる
サスペンスとサプライズが衝撃を生む！

キスは、いきなりがオススメです。

一体、何の話かと思われましたか？　実はアルフレッド・ヒッチコック監督が、キスはサプライズでという話をしています。『映画術』というヒッチコックにフランソワ・トリュフォーがインタビューしている本に載っているのですが、まずは**サプライズとサスペンスの違い**が解説されています。前の項目でも述べましたが復習です。

サプライズは、テーブルで話をしていると、いきなり爆発して観客はびっくりする、実は足元に時限爆弾が仕掛けられていましたというものです。インパクトがあるシーンになりますね。

サスペンスは、テーブルで話している足元に時限爆弾が仕掛けられていることを登場人物は知らない、でも観客には知らせておく、観客は爆発するぞ、早く気づいて逃げろ！　うわ〜爆発するぞ〜！とハラハラドキドキして引きつけられるというものです。

このサプライズとサスペンスを組み合わせるのです。よくホラー映画でありますが、たとえば主人公が廃墟になった病院に入っていく、眼球のホルマリン漬けがあったり不気味な標本があったりして、うわ〜ヤバイぞヤバイぞと思わせます。ガタンと物音がして主人公がビクッと振り向くと猫がニャーと泣いて走っていきます。な〜んだ、と気を抜いて振り向いたところに、いきなりバン！とゾンビが現れる、みたいな感じです。

来るぞ来るぞとサスペンスをかけて、あれ？　来ないのかと一度、気を抜いたところで、いきなりサプライズ！というわけです。キスシーンなら、二人が見つめあいキスするぞキスするぞと思わせて、ゆっくりと顔を寄せ合い、うわ〜いよいよキスだあ！というところで片方が顔を背け背中を見せるのです。な〜んだキスしないのかと思わせたところで、振り向きざま激しくキス、みたいな感じです。

松田優作さんが演じた『太陽にほえろ！』ジーパン刑事の殉職シーン。若い世代の方はドラマの名場面を特集した番組などで血まみれの手を見て「なんじゃこりゃ〜！」と叫ぶシーンだけを知っているかもしれませんが、あの伝説のシーンも実はサスペンスとサプライズを見事に組み合わせていました。

ジーパンにチンピラから電話がかかってきて、暴力団に殺される！と助けを求められます。ジーパンは単身、チンピラを助けに行き暴力団員たちと銃撃戦になります。肩を撃たれ血しぶきが飛び散り、上下真っ白のジーパンとジャケットが血に染まります。何度も何度も危機に陥り、その度に、もうダメだ、ついに殺されるとハラハラドキドキです。

ところが、ジーパンは暴力団員たちを全員撃ってチンピラを助けることに成功するのです。ホッとした時、何と恐怖で訳が分からなくなったチンピラが拳銃でジーパンの腹部を撃ってしまうのです。チンピラは叫び声を上げて逃げていきます。ジーパンは腹部に手を当て「なんじゃこりゃ〜！」となるわけです。

グイグイと引きこまれ目が離せなくなる**サスペンスをかけながらインパクトのあるサプライズをぶつけ**、まさに衝撃的な、いつまでも忘れられないシーンになっているのです。

ダメ父親と幼い息子のメロドラマ

マエストロ映画は『**チャンプ**』です。

かつてボクシングの世界へビー級チャンピオンだった父親（ウォーレス・ビアリー）と幼い息子（ジャッキー・クーパー）のホームドラマベースのメロドラマです。

いきなり父親と息子がシャドーボクシングしながら走っていますが、息子のズボンの尻が大きく破れています。「俺が縫いつけたやった継ぎ当ては？」これだけで、おそらく二人きりで貧しい生活をしていることが分かります。

トレーニングを終えて、酒を飲まないように心配する息子に「今夜、興行主が来るのに飲む訳がない」と街に出る父親ですが、つい1杯飲んでしまい、約束の時間なのに戻ってこない。息子と友だちが父親を探して街を駆け回り、見つけたときにはベロベロです。

もちろん、カムバックの試合は流れてしまいます。

でも、息子は酔っ払った父親の服を脱がせてやり、ベッドに寝かせて毛布をかけてやります。そして、自分も服を脱ぎ隣にもぐりこみます。「おやすみ、チャンプ」

このダメな父親が、どれほど息子に慕われているかが、また、いつも「チャンプ」と呼ばれていることから誇りに思われていることも伝わってきます。

父親はギャンブルで勝って競走馬を手に入れ、息子にプレゼントします。出走するレース場で息子は金持ちの馬主の妻と出会い仲良くなります。その金持ちの妻こそ実の母親で、自分が息子を育て学校にも通わせてやりたいと望むようになります。

父親はギャンブルで負けて息子が可愛がっていた競走馬を手離すしかなくなります。競走馬を買い戻そうと実の母親に借金しますが、またギャンブルに手を出して負け、さらに喧嘩沙汰を起こして捕まってしまいます。

自分より実の母親と暮らすほうが幸せだと、父親は息子を母親に預けようと決心します。留置場に差し入れに来た息子に「お前を食わすのに疲れた。母親の世話になれ。お前がいると邪魔なんだよ、どこでも、ついて来るし。もう嫌いになった」と突き放します。そして「チャンプと暮らしたい」と必死で訴える息子の顔を叩いてしまいます。息子は泣きながら「分かったよ。僕はいらないんだね」と去っていきます。

ところが息子は母親の家族とニューヨークへ向かう途中、汽車を降りてしまいます。

やっとカムバックの試合が決まりますが、父親はヤル気を失くしています。そこに息子が戻ってきて「明日から練習開始だ」と張り切ります。

カムバック試合のシーン

マエストロ映画の「**20枚**」はカムバックの試合当日からです。

健診の医者に「気をつけたほうがいい。若くないから心臓が心配だ」「酷使してるだろ」と言われますが、「前の試合でも心臓はピンピンしてた。大丈夫だ」と答えます。

息子と一緒に大歓声の中リングに向かいます。試合が始まり息子もセコンドについて父親を見つめます。

第3ラウンド。ボディブローを打たれ顔が歪みます。第4ラウンド。連打を食らいダウン。立ち上がりますが再びダウン。また立ち上がりますが3度目のダウン。リングにぐったり横たわり立ち上がる気配はありません。しかし、ここでゴング。駆け寄ってきたセコンドに抱えられなんとかコーナーまで戻ります。

セコンドに「限界だよ。もうやめよう」と言われます。「いや、俺は倒せる」「勝ち目がないよ」「負けるもんか」。ここで息子が、今までいつも「チャンプ」と呼んでいた父親を初めて「ダディ」と呼び、「見ちゃいられないよ。もうやめて」と言います。そして、タオルを投げようとします。父親はタオルを奪います。「やめて、お願い」「チャンプを止めて」と泣き声の息子に、「幸運の唾をグローブにかけろ」と言います。ギャンブルに行くとき手に息子の唾をかけてもらってゲン担ぎをしていたのです。

息子が泣き顔でグローブに唾をかけ、ゴングが鳴って父親はコーナーを飛び出していきます。相手に連打を打たれコーナーに追いこまれます。

その時、相手のパンチをかわして放った左フックがヒット、相手がダウン。そのままテンカウントで大逆転勝利となります。息子も大喜び。リングを降り控え室に戻る途中、買い戻した競走馬がつながれています。息子が競走馬に駆け寄り喜ぶのを見ていた父親の顔が曇ります。控え室に急ごうとして、そのまま前のめりに倒れます。

控え室に運ばれますが医者は首を横に振ります。すがりつく息子に「顔を上げろ。泣くな。笑顔を見せてくれ」と言うと、息子は必死に笑顔を作ります。「それでいい」と言うと息を引き取ります。

泣きわめく息子を誰もなだめることができません。そこに母親が。駆け寄ってきた息子を胸に抱きしめ抱き上げて控え室を出て行きます。

これで時間としては15分ぐらいですがボクシングの試合のシーンがあるのでシナリオとしては20枚ぐらいではないかと思います。


やられるぞ、やられるぞとサスペンスをかけて大逆転勝利で**ホッとした時、いきなり倒れるというサプライズ**で驚かされます。

ぜひ、目が離せなくなると同時に意外性のあるインパクトで鷲づかみにされるシーンを描く参考にして下さい。

◆『チャンプ』1931年アメリカ映画　監督：キング・ヴィダー　脚本：レオナルド・プラスキンス　原作：フランセス・マリオン　出演者：ウォーレス・ビアリー　ジャッキー・クーパー　アイリーン・リッチ　上映時間：86分

第7章

グイグイ引き込む秘密と謎

『地上より永遠に』が教えてくれる
秘密を知ると目が離せなくなる！

誰も知らない秘密の話があるんですと囁かれたら、え、何？　教えて！と食いついて耳を澄ましてしまいますよね。

秘密というやつには人を魅きつけてやまない魔性のパワーがあります。

たとえば、いつも通る道に交番があって、お巡りさんが交替で勤務しています。いつも通るので、だいたい顔を覚えています。ある日、スーパーに行ったら交番のお巡りさんの一人が子連れで来ていて、メモ片手に「あれ？　これかな？」「違うよ、ママがいつも買ってるのはこっち。パパ、ダメだなあ」なんて言われていたら、へえ〜なんて思わず見てしまいます。いつものお巡りさんがグッと身近に感じられて、あれこれ想像が膨らんだりします。

さらに深夜のコンビニでコソコソ周りをうかがいながらエロ本を立ち読みしている人がいて、よく見たら、あのお巡りさんです。こうなると気になって仕方なくなります。もちろんジロジロ見るわけにもいかないのですが、気持ちとしては、お巡りさんに釘づけです。

「**お巡りさんとエロ本の法則**」と呼んでいますが、**その人の秘密を垣間見てしまうと目が離せなくなってしまうわけです。**

秘密を知ってしまうだけで**共犯関係のドキドキ**も生まれます。秘密って、やってはいけないことや知られて恥ずかしいことだったりします。知られて問題ないことなら秘密にはしませんから。秘密を知るだけで自分も同じことをしているような気持ちが生まれます。

最初に留守の家に空き巣が入っているシーンを見せて、次に家の人が帰ってくるシーンになると、思わず「マズイぞ！　早く逃げろ！」と感じてしまうそうです。自分が空き巣の仲間のような気持ちになるんでしょうね。

秘密なんてないという人は多分いないでしょう。やってはいけないことをやってしまって思わず周りに隠した経験は誰にでもあると思います。

この登場人物だったら、どんな秘密があるかなと妄想してみてください。ああなって、こうなってとストーリーを妄想するのも楽しいのですが、こんな秘密があるかもしれないぞ、あんな秘密があったりしてと妄想するのも負けず劣らずワクワクします。しかも、ストーリーで面白いシナリオにするのは並大抵ではありませんが、秘密を描くだけでグッと引きこまれるシナリオになっていきます。ぜひ試してみてください。

ウォーデン曹長の秘密

マエストロ映画**『地上より永遠に』**にはどんな秘密があるでしょうか。

舞台は1941年のハワイ・スコフィールド米軍基地。軍隊内部の実情を描き出し日本軍による真珠湾攻撃によりクライマックスを迎える社会派ドラマですが、縦軸は2つのラブストーリーです。

ひとつは転属してきたプルーイット（モンゴメリー・クリフト）が、中隊長からボクシング部に入部し試合に出場するよう求められたのを断ったため、下士官たちのシゴキを受け続け、クラブで働くロリーン（ドナ・リード）に癒しを求めるラブストーリーです。

これと平行して描かれるラブストーリーは曹長ウォーデン（バート・ランカスター）と、何と上官である中隊長の妻カレン（デボラ・カー）との不倫です。バレたら軍法会議にかけられすべてを失ってしまうこと間違いなしの**飛びっきりの秘密**です。

上官の妻と不倫するようなウォーデン曹長って、よっぽどゲスな野郎なのかというと正反対です。おそらく昼間から女遊びをしていてサボってばかりの中隊長の代わりに事務的なこと一切を引き受け、てきぱきと仕事をこなしていきます。

プルーイットの隣のベッドの兵士は「公平で曲がったことが大嫌いな男さ。あんな曹長は他にはいないよ。第15連隊で上海の作戦に参加して、その後、フィリピンにも行ったらしい。俺の知る限りじゃ最高の兵士だな」と語ります。

またウォーデン曹長は、下士官のシゴキが激しくなり反抗したプルーイットが命令不服従で軍法会議にかけられそうになると、中隊長への機転の利いた一言で助けたり、外出許可が6週間出されずにいると、自分の出す書類なら中隊長は読まずにサインすると言って外出できるようにしてやったりもします。

プルーイットの親友マジオ（フランク・シナトラ）が、何かとモメていた営倉担当の軍曹にナイフを向けられたときも間に割って入り、「ナイフを捨てろ！」「俺が相手だ！」と酒瓶を割って構え、軍曹にナイフを捨てさせたりもします。

一方で長いものに巻かれるように中隊長に従い、プルーイットには要領よく立ち回れとボクシングをやるよう勧めます。昔なじみの老兵士には腰巾着ぶりを揶揄されたりもします。プルーイットが信念を曲げようとしないことに「前にもいたよ、頑固者だ」というセリフがありますが、おそらくウォーデン自身のことでしょう。

かつては信念を曲げずにいた頑固者が今では要領のいい腰巾着となっている、その忸怩たる思いがカレンとの不倫に走り、後半、どうしても将校になりたくないという気持ちにつながっていると思われます。

観客は不倫をずっと観ている

マエストロ映画の「20枚」は、ウォーデンとカレンとの不倫が始まるところです。

基地に車でやってきたカレンが、ウォーレンの前を通り過ぎるとき二人は目を合わせます。ウォーレンはカレンの姿を目で追ってしまい、備品係に「おやめなさい、関わるとひどい目にあう。軍法会議にかけられたいんですか」と言われてしまいます。

中隊長のデスクに飾られたカレンの写真が映り、そこにウォーデンが書類を持ってきます。遅れて「国旗貢納には立ち会わんぞ。おそらく起床ラッパもな」と言いながら中隊長も入ってきます。中隊長に「お前は仕事のムシだな。外には楽しい世界もある。たまには遊んだらどうだ」と言われると、「そのつもりです」と答えます。「よし行ってくる。後はよろしく頼むぞ」と中隊長が出て行くと、「お任せください、すべて」と言いながらカレンの写真を見つめデスクライトを消します。

激しい雨の中、ずぶ濡れになってウォーデンが中隊長の自宅にやって来ます。ノックをするとカレンが来て訝しげな目を向けられます。「主人に会いにいらしたんなら留守よ」「ご主人にじゃなかったら?」といったやりとりがあり、部屋に入ろうとするウォーデンはカレンに手で遮られますが、「お邪魔かな?」と言うとカレンは少し笑って手を下ろします。「また思いきったことをするのね。もうすぐメイドが帰ってくるわよ」「今日は違う。木曜は休みだ」。

しかしカレンに、あなたがここに来たのは無駄足だ、上手くやったつもりでしょうが、ひとつ手違いがあったと言われます。「それは女。彼女は見かけとは違ってた。彼女は終わってた」、そう言われてウォーデンは部屋を出て行こうとします。「どこ行くの」「帰るんだ。そのほうがいいんだろ?」「分からないわ、自分でも」。ウォーデンはカレンにゆっくり近づくと長い口づけを交わします。

外出休暇の給料日、プルーイットはマジオに女のいるクラブへ行こうと誘われ街に出かけていきます。いつになくスーツにネクタイでめかしこんだウォーデンは、ある兵士に声をかけられ、かつてカレンは複数の兵士と関係があり自分もその一人だと知らされます。

待ち合わせの場所に行くとカレンはすでに来ていて「もう来ないと思った」「遅れてないだろ」と少し口論になりますが、「軍法会議の危険を冒してまで上官の

ランカスターとカーとの有名な「波打ち際のキス」シーン
1953年　出典：ウィキメディア・コモンズ

奥さんとデートするんだぞ。ところが君と来たら俺が時間通りに来たって言ってむくれてる」と怒ると、カレンは笑顔を見せて「私、この下に水着を着てきたのよ」「俺もだ」と二人は腕を組み足早に海辺に向かいます。

これで10分弱、およそ20枚ぐらいです。

もうドキドキが止まりません。どうなるんだろう？どうするんだろう？と釘づけです。切れ者で要領のいい**キャラクターとのギャップ**も、さらにドキドキをかきたてます。このあとプルーイットがロリーンと出会うシーンなどを挟んで、ウォーデンとカレンが波打ち際でキスする有名なシーンになります。


秘密からは離れますが、ぜひ紹介したいセリフがあります。友人を失明させたためにボクシングを辞めたというプルーイットに中隊長が、こう言います。

「**では、お前は一人が戦死したら戦争を辞めるのか**」

戦争の本質を見事に言い表しています。不倫が行き詰まると別人のように精彩を欠いたウォーデンが、日本軍の攻撃を受けて生気を取り戻したかのように行動するところも考えさせられます。

◆『地上（ここ）より永遠（とわ）に』１９５３年アメリカ映画　監督：フレッド・ジンネマン　脚本：ダニエル・タラダッシュ　原作：ジェームズ・ジョーンズ　出演者：バート・ランカスター　モンゴメリー・クリフト　デボラ・カー　フランク・シナトラ　上映時間：１１８分

『サンセット大通り』が教えてくれる

秘密は先にバラすと引き込める！

観客や視聴者をシナリオの世界に引きこむ極めて有効な武器があります。秘密です。

たとえば主人公が友人の婚約者と恋愛関係になります。もちろん友人は、そのことを知りません。観客や視聴者は、マズイぞ、バレたらどうするんだ、とハラハラドキドキして引きこまれるパターンです。

秘密には、もうひとつの使い方があります。主人公の知らない秘密を観客や視聴者に観せるパターンです。

主人公の婚約者が主人公の友人と恋愛関係になったとします。そのことを主人公は知りません。主人公が嬉しそうに婚約者へのプレゼントを買い物したりしていると、もし婚約者と友人のことを知ったら一体どうなるんだろうと、やはりハラハラドキドキして引きこまれます。

どちらのパターンも、まず秘密を**観客や視聴者に知らせることがポイント**です。特に主人公の知らない秘密の場合、つい秘密をバラさないでおいて最後に実は婚約者は友人と恋愛関係になっていましたとオチのようにしてしまいがちです。それでは確かに、え〜そうだったのか！というインパクトはあるかもしれませんが、観客や視聴者をシナリオの世界に引きこむことにはなりません。**観客や視聴者を引きこむには、まず秘密をバラしてみてください。**

映画と現実が錯綜する怪作

マエストロ映画の『**サンセット大通り**』で考えてみましょう。

売れない脚本家のジョー・ギリス（ウィリアム・ホールデン）は取り立て屋から逃げる途中で車がパンクし、サンセット大通りの荒れた屋敷に迷いこみます。そこに住んでいたのがサイレント映画時代の大スター女優ノーマ・デズモンド（グロリア・スワンソン）です。

グロリア・スワンソンとウィリアム・ホールデン
1950年　出典：ウィキメディア・コモンズ

ジョーはノーマが自身の復帰作として書き上げた『サロメ』の脚本を直すことになるのですが……というハリウッドの裏側を描いたストーリーです。

自分が今でも人気スターだと信じるノーマの**妄想と現実が錯綜**していきますが、ノーマを演じるグロリア・スワンソン自身がサイレント時代の大スター女優でもあります。

そのノーマに仕える執事で元映画監督のマックス役を演じているのはエリッヒ・フォン・シュトロハイムというサイレント時代の監督です。映画の中にも「当時、有望と言われる監督が3人いた。グリフィス、デミル、そして私だ」というセリフがあります。実際、D・W・グリフィスとセシル・B・デミルとシュトロハイムはサイレント3大巨匠と評されていました。

さらにノーマが脚本を売りこもうとするセシル・B・デミル監督役を本人が演じていて、**映画と現実が錯綜**する怪作です。

素晴らしくも残酷なシーン

マエストロ映画の「**20枚**」はパラマウントから電話が入るところからです。

ノーマがジョーにチャップリンの真似をして見せているとマックスが来て、パラマウントから電話だと言われます。ノーマは送りつけた脚本をデミル監督が気に入ったんだと喜びますが、マックスに「本人ではありません。ゴードン・コールだそうです」と言われると、「助手に掛けさせるなんて」と怒り、「忙しいと言いなさい」と電話に出ません。ノーマは怒りが収まりません。チャップリンの真似で持っていたスティックを叩き折って「私にはわかってる。出演料を値切るつもりよ」と言い、「この日を20年待ったのよ。準備が整うまでデミルも待つべきだわ」と山高帽を投げつけます。

3日後、ノーマは入念に化粧をし、ジョーを連れてマックスの運転する車でパラマウントに向かいます。

門で若い守衛に車を止められますが、年配の守衛が「まさかデズモンドさん！」「どうぞ、お入り下さい」と門を開けてくれます。

18番ステージでは、守衛の連絡を受けたスタッフがデミル監督に「ノーマ・デズモンドが来ました」と告げます。デミルが「あのひどい脚本の件だろう。何て言えばいいかな」と目を伏せます。スタッフから「映写室にいると言いましょうか」と言われると、キッと目を上げ「彼女は3000万人を魅了した大物だぞ」とノーマを迎えにいきます。

ノーマの車が18番ステージに着くと「君の脚本だろ。ここで待っているよ」とジョーは残り、ノーマが車を降りていきます。迎えに出て来たデミルと抱き合い、ステージの中に入っていきます。

歩きながらデミルに「電話できなくて申し訳ない」と言われ、ノーマは「助手に掛けさせるなんて」と応えます。「何の話だ？」「ゴードン・コールとかいう名前だったわ」「ゴードン・コール？」怪訝に思ったデミルがノーマを椅子に座らせると「待っててくれ」と離れていきます。

ノーマにベテラン照明係が気づきライトを当てます。すると出演者やスタッフが次々に「ノーマ・デズモンドよ」「死んだと思ってた」「光栄ですわ」「お帰りなさい」と集まって来ます。

一方、デミルはゴードン・コールに連絡を取り、ノーマに電話したのは脚本のことではなく、撮影のためノーマの車を貸して欲しいと頼むためだったと知ります。

ノーマのところに戻って来たデミルはノーマが泣いていることに気づきます。「また、ここに戻ってこれたのが嬉しくて」というノーマに、ゴードンが電話した**本当の理由を言えなくなってしまいます**。「もう一度、一緒に映画を作りましょ」「いい脚本でしょ」「もう一度、仕事がしたいの。わかってくれるでしょ？」

というノーマに、デミルは「ゆっくり見てってくれ。映画は少しずつ変化してるんだ」としか言えず、撮影に戻っていきます。

これで10分弱、おおよそペラ20枚になります。

パラマウントから電話があった時点で、たぶん脚本のことではないんじゃないかなと予感させますが、ゴードンの電話が車を借りたいだけだったと知ってから、どうする？　どうなる？と引きこまれます。

特に**照明係がノーマにライトを当て出演者やスタッフが集まってくるところが素晴らしく残酷**です。

この後、復帰作が実現すると思いこんだノーマは、いろんな機械を使い、ベルトを巻きテープを貼って美顔に努めます。

さらにジョーは夜中に抜け出して脚本家志望の女性と共同で脚本を執筆し始め、さらにさらに、その女性と恋愛関係になります。**主人公の知らない秘密**が重なっていくことで、ぐいぐいと映画に引きこまれていき、衝撃的なラストシーンへと向かっていきます。

◆『サンセット大通り』１９５０年アメリカ映画（日本公開１９５１年）　監督・脚本：ビリー・ワイルダー　出演者：ウィリアム・ホールデン　グロリア・スワンソン　ナンシー・オルソン　上映時間：１１０分

『ゴジラ』が教えてくれる「謎の魅力づけ」の使い方！

秘密性のカセと**謎の魅力づけ**、使い分けられていますか？

秘密性のカセは、登場人物が周囲に隠していることがあり、それを観客や視聴者に知らせておきます。

主人公に秘密を持たせた場合は、たとえば秘密がバレそうになって観客や視聴者も一緒にハラハラしたり、上手くバレずにすんで一緒にホッとしたりして感情移入します。

主人公ではない人物に秘密を持たせた場合は、そのことを知らない主人公が、これからどうなるんだろうと**サスペンスがかかり**（6章144頁）引きこまれます。

どちらにしても、**あらかじめ観客や視聴者に秘密を知らせておく**ことで、より主人公に感情移入させているわけです。

これに対して**謎の魅力づけ**は、**あえて観客や視聴者に知らせない**ことで、一体、何だろう？と疑問を持たせます。疑問を持つと答えを知りたくなります。**謎の正体を知りたくて引きこまれていく**わけです。

秘密性のカセと謎の魅力づけを混同している方が多いようです。

こんなシナリオがありました。主人公は初老の男性で、病院に通っています。ベッドには初老の女性がいて、いつも女性の好きな食べ物や花を持ってきてくれる主人公を優しいと誉め、亡くなった夫の話をします。仕事のことしか考えない気の利かない人だったと。ある時、女性の容態が悪化し主人公が駆けつけます。意識が混濁する女性の記憶が一瞬だけ戻り主人公を夫だと思い出します。実は女性は認知症を併発していたというものです。

これでは主人公に、まったく感情移入できません。主人公が夫であることを観客や視聴者に知らせておくからこそ、主人公に感情移入できるわけです。

みなさん、ついつい、「実はこうでした」とやりがちですが、むしろ、**「実は～」のところを観客や視聴者に知らせて秘密性のカセにしたほうが、主人公に感情移入できる**ことが多いのです。しかも、秘密性のカセは観客や視聴者を確実に感情移入させてくれる極めて有効な技術です。「実はこうでした」とやりそうになったらぜひ、見直してみてください。

一方、**謎の魅力づけは、なかなか使いこなすのが難しい技術**です。まず、謎の答えが予想しにくくなければ、一体、何だろう？と引きつけられません。そして、謎が明らかにされた時にインパクトが必要です。「な～んだ」と思われたら、かえって興ざめです。さらに謎が明らかにされることで、このあと、どうなるんだろう？と観客や視聴者が目を離せなくなるようにしたいわけです。

このようにハードルは高いですが、もし、そんな謎の魅力づけができれば観客や視聴者が釘づけになること間違いなしです。

足音と吠え声と音楽

マエストロ映画『ゴジラ』では、謎の魅力づけはどうなっているでしょうか。

今さら説明する必要もないでしょう。２０１６年のシリーズ最新作『シン・ゴジラ』が大ヒットしましたし、ハリウッド版も製作されています。ここで紹介するのはその第一作です。

まず冒頭、**クレジットタイトルから謎の魅力づけが始まっています**。黒地の画面に製作会社のロゴが出ると、ゴーン！　ゴーン！と重厚な足音が響きます。そして『ゴジラ』の題名とともにギャオーッ！と吠え声がします。クレジットが始まり、しばらく足音と吠え声が繰り返されているところに伊福部昭の音楽が重なっていきます。何も写っていない真っ黒な画面に白抜きの文字のクレジットが流れ、ひたすら足音と吠え声が繰り返されるのです。

当時の観客の気持ちを想像するとワクワクします。映画館に入って、さあ映画が始まったぞと思ったら、この足音と吠え声、音楽です。どれほど興奮し心躍らせたでしょう。

今の私たちは、この足音や吠え声を聞けば当たり前のようにゴジラの姿を思い浮かべます。でも、当時の観客たちは、この足音と吠え声の正体が一体どんなものなのか、まったく分からないのです。これから、どんな映画が始まるのかも予想がつかなかったであろうと思います。

現在は映画を観る前に、さまざまな情報が伝えられた上でスクリーンに向かいます。このクレジットタイトルに湧き上がってきたであろう当時の観客の興奮は、私たちには味わえないのかもしれないなあ、とも考えてしまいます。

穏やかな海を進んでいた貨物船が突然、沈没します。救助に向かった貨物船も消息不明になり、大戸島の漁船が生存者を救助しますが、その漁船に乗っていた漁師が大戸島の砂浜に流されてきて「やられただ、船ぐるみ」と気を失います。島の古老は古くから言い伝えられてきた「ゴジラ」ではないかと言います。

暴風雨が大戸島を襲った夜、あのクレジットタイトルの重厚な足音が聞こえてきて、島の家屋が破壊され死者が出ます。

調査団を派遣することになり、古生物学者の山根恭平（志村喬）、山根の娘の恵美子（河内桃子）、恵美子の恋人でもある尾形秀人（宝田明）らが大戸島へ向かうことになります。見送りの人たちの中には芹沢博士（平田昭彦）の姿があります。

ついに謎の正体が明らかに

マエストロ映画の「20枚」は調査団が島に着いてからです。

山根らは巨大生物の足跡を調べます。放射能が検出され、三葉虫が発見されます。

その時、島の半鐘が鳴らされます。そして、あの足音が聞こえてきます。島民や調査団は山に向かって逃げます。足音が近づいてきて、山の上にゴジラがゆっくりと頭をもたげます。島民や調査団が逃げ惑います。ゴジラが咆哮します。転倒し悲鳴を上げる恵美子を尾形が助けます。

すると、もう山の上からゴジラは姿を消しています。足音が遠のき、島民や調査団が山を登っていくと、反対側の海に向かってゴジラの巨大な足跡と尾を引きずった跡が残っています。

山根は国会で報告します。大戸島で頭部を目撃した巨大な生物は、今から200万年前のジュラ紀の生物で、海底の洞窟に潜んでいたのが度重なる水爆実験によって生活環境を完全に破壊され、安住の地を追い出されたのであろうと思われると。それを裏づける物的証拠として200万年前に絶滅したとされる三葉虫が足跡から発見されたこと、ゴジラに付着していた砂の中に水爆の放射能が多量に検出されたことを示します。

国会は、この事実を公表すべきか公表すべきでないか対立し混乱します。

これで約10分弱、およそペラ20枚ぐらいです。

クレジットタイトルから、ゴジラとは一体、何だろう?と謎の魅力づけで引きつけられてきた観客が、ついに謎の正体を目の当たりにしたわけです。

『ゴジラ映画40年史ゴジラ・デイズ』という本で、当時、撮影助手だった有川貞昌さんが「ゴジラが白昼、山の中から顔を出すシーンがあるでしょ。ゴジラが初登場する場面、あそこは『ワーッ!』とどよめきましたね。一人一人の声というより館全体から喚声が起こりました」と語っています。

どれほどの衝撃だったかが伺われます。

さらにジュラ紀の巨大生物がひっそりと生き続けてきたこと、それが水爆実験によって日本近海に現れたこと、ゴジラ自身も大量の放射能を帯びていること、**謎の正体を知れば知るほど、一体どうなるんだろうと引きこまれていったに違いありません。**

フリゲート艦隊による爆雷攻撃が行なわれますが、こんどはゴジラは東京湾に現れるようになります。山根は言います。「水爆の洗礼を受けながらも、なおかつ生命を保っているゴジラを何をもって抹殺しようというのですか」と。

東京に上陸するようになったゴジラを東京湾に張り巡らした有刺鉄条網に5万ボルトの電流を流し防ごうとしますが、まったく効果はありません。それどころか、何とゴジラは背びれを光らせ、口から放射能を帯びた白熱光線を吐き始めます。

謎の全容が明らかになるたびに、一体どうなるんだろう?とグイグイ引きこまれていきます。そして、芹沢博士が自身の発明したオキシジェン・デストロイヤーでゴジラと対峙するクライマックスまで一時も目を離せなくなります。

このとき観客を鷲づかみにしたゴジラが、半世紀を超えて今なお私たちを魅了し続けているわけです。

マーベラス！

◆『ゴジラ』1954年日本映画　監督：本多猪四郎　脚本：村田武雄　本田猪四郎　原作：香山滋　出演者：宝田明　河内桃子　平田昭彦　志村喬　上映時間：97分

錬金術の極意6

エピローグにかえて
『ローマの休日』が教えてくれる

無言のクライマックスがハートをつかむ！

「ハートをガツンとぶつけてほしい！」

あるコンクールの最終審査座談会での発言です。ほかにも「もっと熱い想いを感じさせてほしい」「圧倒的な情熱を伝えてほしい」といった言葉が毎回のように見受けられます。

じゃあ、みなさん、どうしますか？　指先に想いをこめてパソコンを打てば感じさせることができますか？　松岡修造さんみたいに「ウォー！」と叫びながら書けばハートをぶつけられますか？　そんなんじゃ想いもハートも伝わりっこありませんよねえ。でも、ここ一番、勘違いしている人が多いんです。ただ熱い想いや強い気持ちを持ってさえいれば、自然にシナリオに表われて伝わるものだと誤解していませんか？

想いやハートを伝えることこそ、最も「技術」を必要とします。

特にクライマックスの技術です。

コンクールのシナリオを読むと、みなさんに共通している課題がクライマックスだなあと感じます。どんどんドラマを盛り上げてきて、さあ、これからいよいよ！という肝心のクライマックスで、むしろトーンダウンして尻つぼみになってしまっています。あるいは、作者の言いたいことを登場人物にセリフで語らせてしまって、説教臭く押しつけがましくなっていることもあります。

尻つぼみにならないためには、クライマックスに向けて話をまとめようとしないことです。**『汚れた顔の天使』**のところでも書きましたが（61頁）、話をまとめようとすると作者や主人公に都合のいいことばかりになってドラマがなくなりトーンダウンします。

作者の言いたいことをセリフで語らせてしまうの

は、言いたいことが観客や視聴者に伝わっていないと感じているからです。このまま終わらせてはいけないと、ついついセリフ（言葉）で語ってしまうわけです。**言いたいことは起承転結の〈起〉と〈転〉（クライマックス）の変化で伝えるよう**考えてみてください。**「最初こうだった」のが「最後こうなる」という変化**をしっかり作って、作者のいいたいことを観客や視聴者に感じてもらうのです。

クライマックスに向けてドラマが盛り上がり、作者の言いたいことが変化で感じてもらえれば、**無言の一瞬を作ることができます**。「クライマックスは無である」といいますが、無言のクライマックスが感動を呼び、その時はじめてハートや想いが伝わるのです。

「最初こうだった」のが「最後こうなる」

本書最後のマエストロ映画は**『ローマの休日』**です。冒頭、ニュースフィルムという形でロンドン、アムステルダム、パリを訪れたアン王女（オードリー・ヘップバーン）が、ついにローマに到着したと伝えられます。

次に舞踏会のシーン。ドレス姿で現れたオードリー・ヘップバーンのウエストの細さにびっくりです。あの中に胃や腸がおさまっているとは、とても思えません。

アン王女が椅子に座ろうとすると、大使に立っているよう指示されます。そして、ずらりと並んだ来賓たちに一人一人、挨拶をしながら握手していきます。スカートの中では靴を脱ぎ足の指を動かしたり、ふくらはぎをさすったりしています。

と、脱いでいたハイヒールが倒れてしまい履けなくなってしまいます。何とか足でハイヒールを立てようとしたりしますが、挨拶が終わり椅子に腰掛けるとスカートから飛び出たハイヒールが目の前に。アン王女は、なすすべなく座っているだけです。大使が助け舟を出してくれて、やっとピンチを乗り切ることができます。ここが、**「最初こうだった」のが「最後こうなる」という〈起〉と〈転〉の変化の、「最初こうだった」の部分**になります。

このあと宿泊先の大使館を抜け出したアン王女は、ジョー・ブラッドレー（グレゴリー・ペック）と出会います。ジョーは新聞記者ですが、アン王女の正体を知って身分を隠し特ダネにしようとします。

アン王女はトレビの泉の脇にある美容院で髪を切ってショートヘアにし、スペイン広場でジェラートを食べ自由を満喫します。さらにアン王女を尾行していたジョーに声をかけられ二人でオープンカフェに行ったり、ベスパに二人乗りをしたり、真実の口を訪ねたりして、最後にサンタンジェロ城が見える船の上でダンスパーティーを楽しんだら大使館に戻るつもりでした。

ところが王国の秘密警察に無理やり連れ戻されそうになったことから、大乱闘のあげく逃げ出します。ジョーと泳いで川を渡り、そこで二人は初めてキスをします。それまでのコメディタッチが一気にラブストーリーモードになります。

アン王女はジョーの部屋に行きますが、やはり帰らなければと車で送ってもらいます。大使館の近くで車を止めますが、外に出られずキスをします。**別れたくない、けれど別れなければならないと揺れ動いて、**ついに車を飛び出し走っていきます。ジョーはアン王女が姿を消した先を、しばらく見つめていますが、アン王女は戻ってこず……。

ラブストーリーとしては、ここで終わってもいいのです。十分に切ないドラマと言えるでしょう。そこを、もうひとつ**アン王女を困らせ、最後の最後まで葛藤さ**せています。

翌日、アン王女の記者会見が行なわれることになり、そこにジョーが取材に行くのです。

ラストシーンまでの10分

マエストロ映画の「**20枚**」は記者会見からラストシーンまでの10分です。

記者会見場に集まる新聞記者の中にジョーもいます。ステージ上にアン王女が大使や側近の人たちとともに現れます。ジョーに気づいて新聞記者だったことを知り、一瞬、暗い表情になります。

しかし、記者たちの質問に答える中で、国家間の親善について訊かれた時に「人と人の間の友情を信じるように」という言葉を付け加えると、アン王女のことを記事にしないと決めていたジョーが「王女のご信念が裏切られぬことを信じます」と発言し、「それで安心しました」と二人は見つめ合います。

別の新聞記者から「どこの首都が一番お気に召しま

『ローマの休日』のオードリー・ヘプバーン　1953年
出典：ウィキメディア・コモンズ

したか?」と質問されますが、アン王女はジョーと見つめあったまま答えません。見かねた大使に「どこにもそれぞれ……」とうながされると、決められた通りの答えを言いかけて途中でやめ、「ローマ!」と答え、大使たちを驚かせ、またジョーと見つめ合います。

写真撮影があり予定の会見が終了し、大使たちが下がろうとした時、アン王女は「記者の方々に挨拶を」と言い出し、また大使たちを驚かせます。ついてこようとした大使たちを目で制し、自分からステージを降りていくと、記者が並ぶ列の前に立ち、一人一人と挨拶を交わし握手をしていきます。

ここは冒頭のニュースフィルムのあとの舞踏会のシーンでアン王女が来賓たちと挨拶し握手をしていくところと対照になっていて、**「最初こうだった」のが「最後こうなる」という変化がくっきりと浮かび上がります。**

ジョーと挨拶し、握手する順番が近づいてくると何だか**ドキドキしながら**観てしまいます。

記者との挨拶が終わったあとは無言です。一瞬ためらいつつもステージに上がっていきます。そして振り向いて満面の笑みを見せます。しかし目には、わずかに涙がにじんでいるように見えます。**無言のクライマックスが胸に響きます**。

またジョーと見つめ合い、小さく、うなずき合うようにすると背を向けステージの奥に姿を消します。

記者たちが去り一人残されたジョーは、アン王女が立ち去ったステージ奥を見つめています。やがてズボンのポケットに手を入れ出口に向かって歩き出します。一度、立ち止まり振り向きますが、また歩き出してフレームアウトしエンドマークです。

二人は別れてしまうので、ラブストーリーとしてはアンハッピーエンドと言えるのかもしれません。ところが、確かにクライマックスは切ないものの、それ以上にポジティブな気持ちになっていることに気づかされます。**どうストーリーを終わらせるかより、どう主人公を変化させるか**が、どれほど重要であるか、ぜひ感じ取ってください。

◆『ローマの休日』1953年アメリカ映画（日本公開1954年）監督・製作：ウィリアム・ワイラー　脚本：ダルトン・トランボ　ジョン・ダイトン　原作：ダルトン・トランボ　出演者：オードリー・ヘプバーン　グレゴリー・ペック　エディ・アルバート　上映時間：118分

著者……浅田直亮（あさだ・なおすけ）
1983年、早稲田大学第一文学部卒業、2007年、早稲田大学大学院国際情報通信研究科修士課程修了。1993年、フジテレビ系『八丁堀捕物ばなし』シリーズでシナリオ・ライターとしてデビュー。『八丁堀捕物ばなし』でギャラクシー賞受賞。シナリオ・センター講師。入門講座からゼミ、コンクール対策講座など幅広く担当。シナリオ・センターが主宰するコンクール〈シナリオＳ１グランプリ〉では最終選考審査員を務めている。著作『増補版「懐かしドラマ」が教えてくれるシナリオの書き方』（共著）『シナリオ錬金術』『シナリオ・パラダイス』（以上言視舎）等。

装丁………山田英春
イラスト／DTP組版………ＲＥＮ
編集協力……田中はるか

＊本書は『月刊シナリオ教室』（シナリオ・センター刊）連載の「教えて！マエストロ」（2015年1月号～2019年8月号）を再編集したものです。
シナリオ・センターの講座へのお問合せ・申し込みは下記まで
〒107-0061　東京都港区青山3-15-14
TEL 03-3407-6936　FAX 03-3407-6946
https://www.scenario.co.jp/　e-mail: scenario@scenario.co.jp

「シナリオ教室」シリーズ
シナリオ錬金術2
「面白い！」を生み出す即効テクニック

発行日❖2020年1月31日　初版第1刷

著者
浅田直亮
発行者
杉山尚次
発行所
株式会社言視舎
東京都千代田区富士見2-2-2 〒102-0071
電話03-3234-5997　FAX 03-3234-5957
https://www.s-pn.jp/
印刷・製本
中央精版印刷㈱

ISBN978-4-86565-169-0 C0374